长管袋沉排潜坝技术研究
与应用前景

张柏山 江恩惠
周念斌 张 清 著

黄 河 水 利 出 版 社

内 容 提 要

长管袋沉排潜坝是一种新的河防工程型式,在黄河下游已得到成功应用。本书详细介绍了长管袋沉排潜坝的设计、施工技术和相关的理论分析与实验研究成果,分析了小浪底水库运用后该坝型的应用前景。可供水利专业科技人员和大专院校师生参阅,也可供河防部门参考使用。

图书在版编目(CIP)数据

长管袋沉排潜坝技术研究与应用前景/张柏山,江恩惠,周念斌,张清著. —郑州:黄河水利出版社,2003.3
ISBN 7 - 80621 - 642 - 1

Ⅰ.长… Ⅱ.①张… ②江… ③周… ④张… Ⅲ.潜坝 - 技术 - 研究 Ⅳ.TV865

中国版本图书馆 CIP 数据核字(2002)第 098756 号

出 版 社:黄河水利出版社
　　　　地址:河南省郑州市金水路 11 号　　邮政编码:450003
发行单位:黄河水利出版社
　　　　发行部电话及传真:0371 - 6022620
　　　　E-mail:yrcp@public .zz.ha.cn
承印单位:黄河水利委员会印刷厂
开本:850 mm×1 168 mm　1/32
印张:4
字数:80 千字　　　　　　印数:1—1 500
版次:2003 年 3 月第 1 版　　印次:2003 年 3 月第 1 次印刷
书号:ISBN 7 - 80621 - 642 - 1/TV·300　　定价:10.00 元

前　言

　　黄河以其独特的流域环境、来水来沙特性及由此形成的下游"地上悬河"而闻名于世。黄河下游河道几乎全靠两岸堤防的约束而成为限制性河道，堤防临背悬差最大可达 10m 以上。她横亘于华北平原之上，成为淮河和海河流域的分水岭，一旦决口，南决乱"淮"、北决则乱"海"。在新中国成立前有记载的 2 500 多年中，两岸堤防决口达 1 590 多次，每次决口都给两岸人民带来了深重的灾难。20 世纪 80 年代中期以来，黄河下游来水来沙条件的迅速改变及其他因素的共同影响，使黄河下游河道行洪态势进一步恶化，加剧了"二级悬河"的发展。黄河游荡性河道，河面宽阔，水流散乱，沙洲棋布，溜势多变，日益严重的"横河、斜河、滚河"形势，增加了溃堤决口的危险性。因此，整治河道、规顺流路、稳定主槽、控制河势，对于确保黄河下游防洪安全具有非常重要的意义；而且有利于工农业和城乡生活取水及滩区 180 万人民的生存与发展。

　　几百年来，黄河下游的河道整治工程多采用

抛石结构、秸料埽和柳石结构。这些结构具有施工简单、投资少、易于适应河床变形、出险后修复便利等特点，但容易出险，被动防守，抢险和维修费用很高，往往一道坝的稳定加固需要十几年甚至几十年的时间。20世纪80年代中期，随着土工合成材料的出现和对土工织物的认识，为新结构的试验开拓了新的领域，通过生产实践，取得了一定效果；虽然这些新型结构还存在一些问题，但这些试验研究工作的开展和应用，大大推动了黄河下游河道整治工程新技术的发展。

河南黄河河务局在总结长管袋沉排坝技术的基础上，提出了一种新型的长管袋沉排潜坝技术，并于1990年在马庄工程下首修建试验坝，经过十年的应用，效果较好。该项研究是1997年黄河水利委员会黄河防洪科技项目之一，本书是对此新型工程结构的全面总结。在研究过程中，还得到了国家自然科学基金和水利部联合资助重大项目"泥沙淤积机理及泥沙灾害防治"（项目编号59890200）的资助。书中详细介绍了长管袋沉排潜坝的设计技术和相关的理论分析与研究；通过模型试验对潜坝的冲刷机理、冲刷发展过程及潜体稳定性与防护措施、土工布的水下磨擦等问题开展了比较详细的研究；同时介绍了此种潜坝的施工技术，具体分析了马庄潜坝的应用效果、技术经济可行性和小浪底水库运用后的应用前景，指出了马庄潜坝在工程设计、施工、运行中存在的问题和建议。此项成果建立在理论分析和科学实验的基础上，成果可靠，可供生产部门参考使用。

参加该项研究工作的还有高永传、张林忠、赵瑞金、魏丙臣、张惠敏等，项目研究还得到了刘贵芝教授、赵文林教授的指导，在此一并致谢。

限于作者的学识与水平，书中会有不少疏误不当之处，敬请读者多提宝贵意见。

张柏山　江恩惠
2003 年 1 月于郑州

目　录

1 概 述

1.1 黄河下游河道坝岸工程概况

　　黄河从河南省孟津县白鹤镇附近,由山区进入平原,河道骤然展宽,流速减缓,落淤加重,水流散乱,主溜摆动剧烈,从这里黄河开始有了堤防。截至 2000 年汛前,孟津以下 878km 长的河道上,共有险工 138 处,坝垛护岸 5 328道,工程长度 312km;有控导工程 200 处,坝垛 3 787 道,工程长度 344km❶。

　　河道整治工程主要是控导主流、稳定河势、限制主溜的摆动幅度,对保堤护滩起着重要的作用。因此,河道整治是黄河下游治理措施的一个重要组成部分。经过人民治黄 50 多年来的不懈努力,河道主溜游荡摆动幅度明显减小,尤其是陶城铺以下河段,河道整治工程已初具规模,河势基本得到了控制。高村以上河段,根据黄河水利委员会(以下简称黄委会)《黄河下游 1996～2000 年防洪工程建设可行性研究报告》❷,在"九五"期间,虽然按照规划新布控导工程 7 处、续建工程 35 处,共修建丁坝 267 道

---

❶ 郝守英等.黄河防汛资料汇编.黄河防总办公室,2000

❷ 席家治等.黄河下游 1996～2000 年防洪工程建设可行性研究报告.黄委会勘测规划设计研究院,1996

(不含小浪底移民安置区孟州—温县河段两岸的整治工程),但仍然存在着工程不配套、不完善,河势稳定性差的现象。特别是伊洛河口至东坝头河段,"横河"、"斜河"、"畸形河湾"时有发生,工程整体效益不能得以充分发挥。因此,加快下游河道整治步伐,仍是当务之急。

据史书记载,黄河下游的治理已有 4 000 多年的历史。随着堤防的修建,为保护堤防免受水流淘刷的护岸工程也应运而生。隋唐以前坝岸工程很少,且以抛石结构为主;宋代秸料埽得到广泛应用;明清时期,埽工继续发展完善,用于坝岸防护,并且开始在埽前抛石护坦,使其坚固[1]。

新中国成立初期,依照"宽河固堤"的治河方针,对黄河下游险工坝岸,改原埽工为石工。对根基较深、稳定性较好的坝岸逐步由散抛石改为丁扣石或浆砌石。黄河下游现存最多的河道整治工程的坝垛护岸结构型式为传统的土石结构,新修坝岸多采用柳石结构。由于这种结构具有施工机具简单、工艺要求不高、新修坝岸初始投资较少、松散结构能较好适应河床变形、出险后易修复等优势,故仍被大量采用。但传统结构存在的主要问题是抢险频繁、防守被动、抢护维修费用高。针对这一问题,自20 世纪 70 年代开始,黄委会各级河务部门做了一系列的新结构试验❶,主要有砖渣混凝土直墙结构、旋喷水泥土桩结构、钢筋混凝土枵杈结构、土工织物长管袋沉排结

❶ 河道工程新技术成果汇编.黄委会水利学会等,2000

构、钢筋混凝土桩坝、土工织物上压铅丝笼沉排结构等。虽然这些新型结构还存在一些问题,但这些结构的试验研究和应用,大大推动了黄河下游河道整治工程技术的发展。

1.2 传统工程结构特点[2]

在对黄河几千年的治理过程中,人类在探索治河防洪策略的同时,也在不断地寻求着能够有效防御水流冲刷的工程结构型式。柳石搂厢正是广大治黄工作者经过长期实践而总结发展保留下来的、黄河下游特有的、黄河埽工中行之有效的水中进占坝工结构,是传统工程结构的核心组成部分。目前黄河下游现存的近几千道坝岸工程中,大部分是用这种传统结构修建的。

1.2.1 传统工程结构

现有传统丁坝结构,通常采用土坝基外围裹护防冲材料的型式,一般分为坝基、护坡和护根三部分。坝基一般用砂壤土填筑,有条件的再用黏土修保护层;护坡用块石抛筑,由于块石铺放方式不同,可分为散石、扣石和砌石(有浆砌、干砌)三种;护根一般用散抛块石、柳石枕和铅丝笼抛筑。由于施工条件不同,修建工程采用两种施工方法,即旱地施工和水中进占施工。

(1)旱地施工结构。为了掌握施工的有利时机,充分利用高滩;在滩地上修筑工程,称为旱地施工,简称旱工。常见的结构断面如图 1-1。

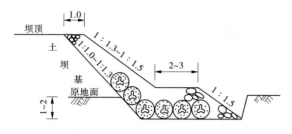

图 1-1　旱工块石柳石枕结构断面(单位:m)

(2)水中进占结构。为控制河势,在水中修筑丁坝工程,称为水中进占,简称水工。当流速小于 0.5m/s 时,可直接往水中倒土填筑坝基,并及时在坝基的上游一侧抛枕防冲;当水流流速大于 0.5m/s 时,需在设计坝基上游侧位置采用柳石搂厢进占,当进占长度达到 8m 左右后再在占体下游侧倒土填筑坝基。

柳石搂厢是一种简易埽工,以柳石为主体,靠桩绳联结,层柳、层石,靠柳石自重下沉,逐层修筑直至达到河底,占体高出水面 0.5～1.0m。这样逐占前进,直至达到设计长度。每完成一占,随即在占体迎水面抛柳石枕、铅丝笼、散石等保护占体,防止占体倾覆。常用的断面结构如图 1-2。

1.2.2　传统结构的优越性

传统结构是治黄沿革保留下来的有效丁坝结构型式,不但有一整套的施工技术及操作规程,而且具有很强的实用性及生命力,其优越性主要表现为:

(1)手工操作,不需大型施工机械,施工程序易掌握。传统结构是沿黄河工及修防部门的技术人员世代承袭下

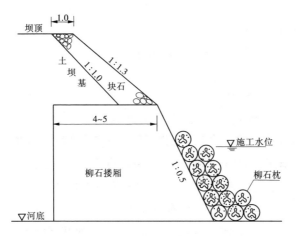

图 1-2　柳石搂厢水中进占结构断面(单位:m)

来的,施工主要靠经验,并以手工操作为主,相对简便易行。事实上传统结构尤其是水中进占柳石搂厢部分的技术要求是相当高的,柳料、石料、木桩麻绳等料物用量也都有一定比例,操作不当也会发生跑埽、倒埽及占体不闭气等事故。

(2)就地取材,便于抢险及抢修工程,见效快。由于黄河下游河势主溜摆动剧烈,河床及滩地冲淤变化快,因此险情发展迅速,必须对出险坝岸及时进行抢险加固,若河势发展到河道整治规划位置线上或河势剧变影响防洪安全,则需抢修工程。由于传统结构主要以柳石为主,可以就地取材,组织地方人力物力快速抢护。

(3)坝岸根基加固自上而下,用料视工程靠河情况而定。工程修建或加固随河床冲深逐步进行,在此过程中,如遇河势变化外移,河床停止冲刷,抢险加固即可告一段

落,工程再靠河顶冲时再加料物抢护。即传统结构具有
抢险灵活、用料该多则多、该少则少的特点,一次性占用
资金少,可用较少的投资修建较多的丁坝。

1.2.3 传统结构的局限性

传统结构具有施工灵活快速等优点,但作为永久性河
道整治工程,有抢险频繁、防守任务重等缺点,工程修建得
越多,汛期抢险负担越重。主要表现在以下几个方面:

(1)修建时基础浅,必须经过抢险加固。传统结构的
特点决定其修建时的坝体基础深度受到一定限制。旱工
结构,因其在旱地上施工,滩面以下的根石一般为 2~
3m;水中进占结构坝比旱工结构坝基础深些,如果修筑时
水流集中,大溜顶冲,坝前冲刷坑较深,基础虽相应增加,
但施工难度及用工用料也成倍增加,稍有不慎会有跑垮
的危险。根据黄河下游的实践,坝体稳定时的根石深度
控导工程一般为 12~15m,险工为 15~18m,稳定时的根
石坡度一般需达到 1:1.3~1:1.5 之间,虽然施工时有些
工程坝前冲刷坑水深较大,但仅靠施工达到稳定冲刷深
度的工程是很少的,河南省河段近几年水中进占施工时
出现的最大水深见表 1-1。

表 1-1　　　　　　　施工最大水深统计

施工时间(年)	1986	1988	1992	1992	1991
工程地点	逯村	开义	大玉兰	老田庵	古城
坝　号	32	28	33	17	6
最大水深(m)	9	12	10	11	9.8

由表 1-1 可以看出,施工时出现的最大水深为 12m,且仅是局部冲刷,并非全部靠溜段都达到该深度。因此,传统结构新修坝必须经过多次抢险加固,才能逐步达到稳定。事实上,抢险就是丁坝加深加固基础的施工过程。

(2)抢险频繁负担重,防守被动。传统结构坝岸基础不能一次修筑达到稳定的特性,决定了工程靠河着溜后,基础将随河床冲刷变形下蛰,需及时下料抢护,黄河上有"固坝固根、有抢不固"的经验,每道丁坝一般要经过多年的靠溜冲刷及几次大抢险,使根石的深度和坡度达到一定程度时才会基本稳定。故传统结构坝岸抢险,每年需花费大量的料物、人工及投资,且这种险情的不确定性和突发性给各级修防部门和地方政府造成巨大压力。随着整治工程的不断修建,丁坝越修越多,抢险加固负担逐年加重。据统计,人民治黄以来,用于抢险加固的石料几乎等于用于基建工程用石量,费用相当惊人,仅河南省河段,近几年在未发生大洪水情况下,平均每年工程出险 800 余坝次,用石 10 万 m^3 左右。有的险情突发性大,发展迅猛,抢护不及就有垮坝的可能。总之,丁坝一旦出险,不仅耗费人力、物力、财力,而且会引起河势巨变,特别是险工坝会导致堤防溃决或冲决,后果不堪设想。

1.3　减少工程出险概率的基本途径

1.3.1　丁坝出险成因分析

(1)黄河下游河床组成及冲淤特点。黄河下游河床主要由粉细沙堆积而成。上游来水区域不同,水流含沙量和河道淤积状况差异较大,致使土质不均匀,而不同土质的抗水流冲蚀能力也不同,沙性土的抗冲蚀较黏性土弱。土质不均匀是下游河势多变的一个重要因素。

黄河下游冲淤变化的主要特点是:洪水淤滩刷槽,主流趋直;小水主流坐弯,塌滩淤槽。由于河床自然边界条件的多变,决定了淤滩刷槽和塌滩淤槽的不确定性。当人工边界条件与河流的造床作用相适应时,这种冲淤变化引起的河势变动较小,对丁坝的安全不会产生大的影响。当人工边界条件与河流的造床作用不适应时,所引起的河势变化较大,容易形成"横河"、"斜河",导致丁坝出险。因此,加快河道整治步伐,强化人工边界条件,使之与河流的造床作用相适应,也是减少丁坝出险的主要措施。

(2)根石断面不足是丁坝经常出险的根本原因。根石断面大多呈"下缓、中陡、上不变"的分布规律,如图1-3。主要原因是上部一般高于枯水位,通常按设计标准整理维护,即使遇到较大险情,抢险后仍能及时修补。

另外,还有一些特殊断面,如:反坡、平台及锯齿型断面等,形成的主要原因在于丁坝水中进占修筑及抢险过程中,采用搂厢、柳石枕或铅丝笼等结构,这种结构体积大,且不易排列,容易形成各种不规则的断面。这种断面会造成水流流态极度紊乱,促使河床淘深,影响基础稳定。根石断面不足主要表现在以下几个方面:

一是根石深度不足。当根石上部土石压力一定时,

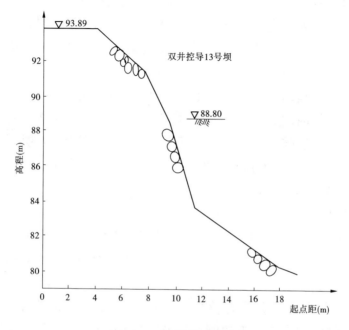

图 1-3 根石典型断面

稳定性主要取决于根石的厚度、深度和坡度。其中以深度和坡度对丁坝稳定的影响最大,而根石的坡度受其深度影响。当作用于丁坝某一部位的水流强度大于丁坝该部位曾受过的最大水流强度时,原来相对稳定的根石坡度随坝前局部冲刷坑的形成和发展以及根石的走失而变陡,丁坝稳定性降低,随时可能出险。目前,黄河下游实测根石深度最大的丁坝是建于清乾隆九年(公元 1745年)的花园口险工将军坝,其根石深度为 23.5m。根据1993 年的黄河下游陶城铺以上河段坝、垛根深度统计结果,根石深度小于 7m 的占总数的 44.4%,这类丁坝一般没有靠过大溜,基础差,易出险;根石深度在 7～10m 的丁坝占 38.8%,这些丁坝有一定的根基,但没有得到更有效的加固,在较大水流强度作用下冲刷坑还会发展,丁坝仍会出险;根石深度在 15m 以上的仅占 1.5%,这部分丁坝基础相对较好,在正常水流强度作用下不易出险,但这类丁坝仍存在根石走失现象,需视靠溜情况及时加固。

受黄河自身特点和传统施工方法等限制,丁坝根石坡度主要靠水流淘刷、块石自然滚动下落而形成,因此一般较陡。目前黄河下游丁坝根石坡度,下段好于上段。河南段根石坡度系数一般为 0.98～1.30,而山东段一般为 1.11～1.50,平均在 1.10～1.30 之间。根据黄河下游险工丁坝稳定分析计算得出,当丁坝根石深度 15m、坡度系数为 1.50 时,丁坝是比较稳定的。控导工程的丁坝,由于其上部土石压力较小,边坡系数大于 1.30 时可基本满足稳定要求。如冲刷坑深度进一步增大,安全性将有所降低,要保持丁坝的稳定应适当增大边坡系数。

二是坝基根石走失严重。据统计,1973～1986 年 14 年间,山东黄河丁坝出险 10 670 坝次,抢险用石 104 万 m³,其中 8 100 多坝次险情与根石走失有关,约占 76%。

针对根石的走失现象,修防部门曾进行了大量的调查和研究工作,黄河水利科学研究院张红武等通过模型试验对丁坝根石走失现象也专门进行了研究,并得出与原型观测基本一致的结论:①汛期根石走失量大,这主要是汛期中水持续时间长,工程靠溜机遇大,特别是位于弯道顶部的丁坝,长期受水流冲刷,根石容易走失;②受大溜顶冲的丁坝根石容易走失;③丁坝迎水面至坝前头的根石容易走失,而背水面的根石走失量较小。

(3)河势多变、大溜顶冲是丁坝出险的重要因素。黄河是举世闻名的多沙河流,下游河道宽浅,河床冲淤变化频繁是它的基本特征。特别是高村以上宽河段及高村至陶城铺过渡性河段,一般主槽宽度仅占河道宽度的10%~20%,较宽的河道虽具有较大的泄洪能力,但也为主槽的摆动提供了便利条件。

黄河下游自然条件下的边界特性是河段纵比降陡,河床可动性大,土质不均匀,河床宽浅,滩槽高差小,横比降大,洪枯水河槽宽度差异大,河床平面形态宽窄相间。这一边界条件决定了其河势多变,"横河"、"斜河"时常发生,工程靠溜位置上提下挫,丁坝靠溜部位不稳,出险频繁。

"横河"、"斜河"具有突发性,因受上游来流方向和局部滩岸冲淤影响,难以预测,容易造成工程靠溜部位急剧变化,使个别丁坝突然靠溜或遭大溜顶冲而出险。

图1-4为1985年汛末马厂工程附近"横河"示意图。这次"横河"发生在洪峰降落过程中(大河流量2 000 m³/s),因大留寺工程下首新滩坐弯挑流而形成。从9月下旬到10月下旬1个月的时间里,随着弯顶坐深,溜势由顶冲马厂工程25号坝逐渐上提到16号坝。此次"横河"造成马厂控导工程先后7道坝出险12次,抢险用石3 122 m³,柳料35.85万 kg。

由于来流方向与丁坝轴线的夹角大,流势集中,单宽流量与流速大大增加,所以,"横河"、"斜河"对丁坝及河

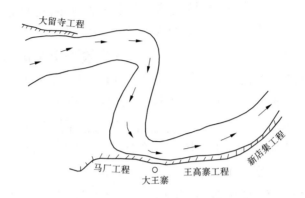

图 1-4 1985 年马厂工程"横河"示意

床的淘刷远大于一般情况下的水流冲刷,故遭"横河"、"斜河"顶冲的丁坝出险机遇和严重程度明显高于一般正常靠河的丁坝。

(4)黄河下游特殊的来水来沙条件是造成丁坝出险的主要原因。丁坝出险的概率与险情的大小与黄河下游的来水来沙条件密切相关。表 1-2 为历年各月主要险情统计表,表中显示汛期 7～10 月出险占全年的 80.5%。说明汛期丁坝出险概率高,这是由汛期水量大且集中,对丁坝和河床的冲刷作用强,河势变化大,"横、斜河"发生概率远较非汛期大。

表 1-2　　　　　　　　**各月主要险情统计**

月	1	2	3	4	5	6	7	8	9	10	11	12	7～10
出险坝次	18	6	18	21	26	54	129	345	246	130	37	24	850
百分比（%）	1.7	0.6	1.7	2.0	2.5	5.1	12.2	32.7	23.3	12.3	3.5	2.3	80.5

表 1-3 为各级流量下丁坝出险次数统计结果。从表中可以看出:高村以上游荡性宽河段流量在 1 000～2 000 m³/s 范围内丁坝出险次数占出险总数的百分率明显高于其他流量级,占 33.7%。这主要有两方面的原因:一是该流量级出现频率较高,为 26.8%,说明该级流量有一定的造床作用,由于水位低不漫滩,主要表现在对滩岸的冲刷,致使凹岸切滩坐弯,凸岸淤积,水流集中顶冲丁坝出险。在大量抢险过程中,人们发现,小流量丁坝出险大都位于河面突然缩窄的凹岸处,即单宽流量最大断面处,河工模型试验也证明了这一点;二是该河段河道宽浅,河势多变,工程靠溜不稳,冲刷坑发展不完善,工程建成后基础普遍较浅。

表 1-3　　　　　各流量丁坝出险情况及统计

河　段	日平均流量 (m³/s)	1 000 以下	1 000～ 2 000	2 001～ 3 000	3 001～ 4 000	4 001～ 5 000	5 001～ 6 000	6 000 以上	合计
铁谢— 高村	出险次数	23	97	28	43	56	16	25	288
	百分数	8.0	33.7	9.7	14.9	19.5	5.6	8.6	100
	流量频率 (%)	57.1	26.6	7.8	3.6	3.1	0.9	0.8	
高村— 陶城铺	出险次数	70	74	74	57	52	37	38	402
	百分数	17.4	18.4	18.4	14.2	12.9	9.2	9.5	100
	流量频率 (%)	61.7	23.5	7.5	3.3	2.5	0.9	0.5	

注:各河段流量频率统计依据各水文站 1973～1990 年逐日平均流量统计,为各站平均值。

需要指出,铁谢至高村及高村至陶城铺河段,在大洪水时,洪水漫滩,主溜趋中,险工坝岸遭到主溜直接冲刷的相对较少。而控导护滩工程防御标准低,水流漫坝,险情难以及时发现,待落水阶段,水位降低,险情暴露。因此,虽该河段大流量丁坝出险次数不及小流量高,但大流量水流对河床及丁坝的冲刷力强,丁坝一旦受大溜顶冲出险,其险情远比小流量丁坝严重得多,抢护困难,危害也大,决不能掉以轻心。

表1-4是洪峰过程不同阶段丁坝出险的百分率。由表可反映出落水过程险情较多,其原因:一是水流归槽时,流势集中,使冲刷坑进一步发展造成丁坝出险;二是涨水时发生险情,在落水时才表现出来。尤其对于浆砌石坝,涨水时土胎长时间浸泡,土壤饱和,落水时,水位骤降,排水不及,坝身自重相对增大,土壤抗剪强度减小,丁坝抗滑稳定降低,也是落水时丁坝出险较多的原因之一。

表 1-4　　　洪峰过程中丁坝出险情况统计

水　势	涨　水	落　水	平　水	合　计
出险坝次	184	344	115	643
百分比(%)	28.6	53.5	17.9	100

1.3.2　改进丁坝结构,减少出险机遇

如前所述,黄河下游传统柳石丁坝裹护体多为分散结构,虽能较好地适应河床变形,但坝体的稳定主要是靠在抢险过程中用大量的料物充填冲刷坑后形成大体积的"厢式基础"来维持的,如图1-5。在"基础"没有达到极限冲刷深度时,靠溜丁坝随时可能出险,需不断抢险加固,耗费较大,防守困难。

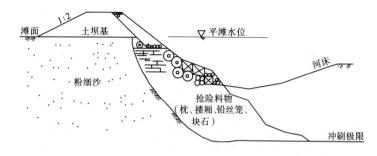

图 1-5 丁坝稳定断面示意

　　为了逐步改变汛期频繁抢险的被动局面,适应河道整治工作的需要,广大治黄工作者在充分发挥传统结构优势的前提下,不断利用新材料、新技术和新工艺进行新型丁坝结构的试验研究。1985 年以前,黄河下游研究试验的新结构坝主要有:以梢柳料制成的大面积排状体,上用块石压沉于河底的柴排坝;以桩、柳组合成的轻浮体积的透水结构,减轻坝前冲刷,增加坝后落淤的深水桩柳进占坝;在预先修好的土坝基上用钻机钻孔后灌注混凝土,形成封闭的混凝土连续墙坝;用混凝土杆件绑扎串联成枏杈,投放于水中或浅滩上,起导流与缓流落淤作用的混凝土枏杈坝;有利用高压脉冲泵产生高速射流的强大冲击力,在钻杆提升、旋转过程中射出的浆液,连续不断地搅动土体,并与其混合,最终在地层中形成圆柱状固结体的旋喷桩坝;以土工织物编织袋装土代替石料及柳石枕的土工织物结构试验坝等。这些工程有的因黄河特性因素考虑不全及受当时施工技术条件等限制,没能成功,有的因施工复杂、技术要求高未能推广应用,但都有一定的效果,取得了经验,为以后新结构、新工艺、新材料工程的研究打下了一定的基础。

土工织物作为一种新型的工程材料,在土建及水利工程和防洪抢险中显示出越来越大的优越性。黄河下游以河南黄河河务局(以下简称河南局)为例,1985年以来试验修建了9种结构型式的土工织物沉排坝,共46道。从已靠河着溜的丁坝来看,效果是明显的❶。土工织物沉排坝的主要坝型有:化纤编织袋沉排坝、长管袋充填泥浆沉排坝、铅丝笼沉排坝(含网罩护根坝)、褥垫式沉排坝及柳石枕沉排坝等。这些工程既有在旱地修做的,又有在水中施工的,为黄河下游丁坝结构的改进积累了宝贵经验。

河南局在已试验应用的长管袋沉排坝技术基础上,提出了一种新型的长管袋沉排潜坝技术,并于1990年在黄河下游原阳马庄控导工程下首修建了试验坝。经过10年的应用,效果较好。

随着黄河清水来源区基流的减少和黄河中下游地区年耗水量的增多,最近十几年来黄河下游中小洪水、高含沙洪水出现的概率增加,从而导致一些迎送溜关系较好的控导工程对河势的控导作用明显削弱,不少工程出现两段或多段靠河现象,工程着溜部位逐年上提❷。"河南大张庄至柳园口河段挖河固堤启动工程"通过多次模型对比试验,才对该河段河势流路如何控制有了一个较为

❶ 河道工程新技术成果汇编.黄委会水利学会等,2000

❷ 石春先等.小浪底水库2000年运用方案研究报告.黄委会勘测规划设计研究院,2000

满意的结果❶。小浪底水库建成以后,将改变进入下游河道的水沙及洪水过程,中小流量持续时间将更长❷,现有的河道整治工程能否适应新的水沙条件,特别是小浪底水库运用初期,黄河下游河床将出现明显的冲刷下切(并伴有展宽),如何使现有河道整治工程能够适应新的来水来沙条件,是近几年来黄委会各有关部门都在着力研究的重要课题。1999 年,黄委会、黄河水利科学研究院(以下简称黄科院)在进行黄河流域(片)防洪规划期间,对小浪底水库运用初期黄河下游的河道整治工程适应性问题进行了认真的研究,并对黄河下游的河道整治规划治导线进行了重新修订,对一些不能适应小浪底水库运用期间来水来沙条件的河道整治工程建议进行补充和完善❸❹。江恩惠、刘贵芝等也曾就小浪底水库运用后新形势下游荡性河道整治工程设计的有关问题进行了初步探讨,提出了许多有益的建设性意见❺。因此,在小浪底水库运用初期,总结长管袋沉排潜坝技术研究及应用效果是非常有现实意义的。

---

❶　江恩惠等.黄河下游大张庄至柳园口河段挖河固堤模型试验报告.黄河水利科学研究院,1998

❷　黄委会勘测规划设计研究院.黄河小浪底水库运用方式研究.1996

❸　齐璞,江恩惠等.现有河道整治工程适应性分析.黄河水利科学研究院,1999

❹　江恩惠,刘海凌等.黄河流域(片)防洪规划项目:黄河下游河道整治规划治导线检验与修订试验初步报告.黄河水利科学研究院,1999

❺　江恩惠,刘贵芝等.小浪底水库运用初期黄河下游河道整治工程适应性分析.见:河道工程新技术成果汇编.2000

2 长管袋沉排潜坝设计技术

潜坝是指河道整治工程中允许水流漫溢坝顶而不被冲刷破坏的丁坝或顺坝。在20世纪50年代，山东河段曾修建过潜坝，一般有两种情况：一是原丁坝较长，对高水位行洪有影响，将土坝体削至枯水位或与滩面平，坝顶用浆砌石封顶；二是防止滩岸继续后退，用柳石进占，外压块石，修建丁坝，拦截深槽，落淤还滩，恢复原河道岸线。

20世纪90年代，在河道整治工程设计中，因受排洪河槽宽度限制，一些工程下段不能按送溜要求修足长度，影响了对溜势的控导效果，河南局为了解决工程长度与导溜效果的矛盾，提出了修建潜坝的设想，并进行了现场试验，取得了一定效果。

长管袋沉排潜坝是以大块土工布作排布护底，以土工布制成长管袋充填高浓度泥浆排水后成为土袋作压重组成排体，用土袋枕填筑坝体、铅丝笼压盖坝面防冲的一种结构坝。施工在枯水期进行，选水流平稳及基本无风浪时在水中铺放排布，然后一边用泥浆泵向长管袋内充填高浓度沙土泥浆，一边在预留开口处排水，使袋内充满沙土，形成土袋，压于排布上，并使之排列整齐，再用土袋枕逐层加修坝体，最后用铅丝石笼将土袋枕压盖严密。工程靠溜后排下河床土体被淘刷冲失，排体下沉，逐步达到稳定深度，起到保护坝根的作用。

因此，长管袋沉排潜坝的设计内容主要包括：潜坝结构设计和长管袋沉排排体设计两部分。

2.1 潜坝坝体设计参数的确定

2.1.1 坝顶高程

2.1.1.1 设计流量

丁坝按是否允许漫溢坝顶分为淹没式丁坝(潜坝)和非淹没式丁坝两种,两者的主要区别就是丁坝坝顶高程。如前所述,在黄河下游河道中兴建潜坝的作用主要是依据黄河下游河道整治规划治导线修建控导工程,既要控导中小水河势,又要不影响主河槽排洪宽度。即要选择一个设计流量,推算其水位,确定坝顶高程。当大河流量小于设计流量时,潜坝不漫顶,能很好发挥控制河势的作用;当大河流量大于设计流量时,潜坝会被淹没,有利行洪。显然,设计流量既不能很小,也不能过大,一般参照当地平滩流量酌情选定。

平滩流量是确定黄河下游造床流量较常用的一种计算方法[1]。一场洪水过程,随着流量的增大,水深增加,流速加大,造床作用不断加强;水流漫滩初期,平均流速减小,造床作用减弱;漫滩水深增加到一定值以后,平均流速加大,造床作用更大,但历时较短。一般地,水流平滩时,造床作用相对较强,而且洪水作用的时间也较长,能

---

[1] 张清,江恩惠,张原锋.黄河下游河道整治设计流量浅析.见:第十二届全国水动力学研讨会文集,1998

综合反映多年洪水的造床作用。因此,目前黄河下游常采用水位与河漫滩相齐平的流量作为造床流量,即当流量增大到某一个数值时,水位抬升一个很小的高度,而河宽则突然增大很多,此时的流量即为平滩流量。该法对于断面形态稳定的河道比较容易操作,精度也比较高。因此,一般都是选取一个较长的河段,在某一流量下,如果各断面的水位基本上与该河段河滩或边滩高程齐平,这个流量即可作为造床流量。但是,当流量较小、水位与平滩高程相差较多时,平滩流量还无法直接求出,需进行延伸。常用的方法有水位流量关系延伸法、k 曲线延伸法等。对于河床变形较大或复式断面,这些方法则不适用。在进行渭河下游为复式断面的华县水文站平滩流量计算时,张翠萍、张原锋❶采用了"流速衰减法",即根据实测资料建立水流漫滩后的流速与漫滩前主槽流速之比与漫滩后过流面积与漫滩前主槽面积之比的关系,然后利用实测大断面地形,确定平滩高程,进而求得断面流速及平滩流量。目前,平滩流量延伸的方法,均没有考虑河床形态的变化,而对于冲积河流,随着水位的升高,河床形态往往会发生较大的变化,因此上述各种方法在用于黄河下游冲积河道时,均会产生不同程度的误差。鉴于此,建议在确定黄河下游平滩流量时,应与常用的马卡维也夫法[3]和输沙能力法计算的造床流量结果相互校核。

马氏方法在此不再赘述,我们主要介绍输沙能力法。

---

❶ 张翠萍,张原锋.渭河下游河道整治治导线初步设计咨询报告.黄河水利科学研究院,1997

黄科院的一些研究人员曾对黄河下游造床流量的计算方法进行过对比分析,并提出了输沙能力的计算方法[4]❶。他们认为:挟沙水流的造床能力,不仅仅取决于流量的大小,水流的含沙量、泥沙粗度、河床边界条件等因素对造床过程及河床形态的塑造都有显著的影响。因此,在确定造床流量时,应适当反映泥沙因子的作用。作为对马氏方法的改进,引入水流挟沙力 S_*,将输沙能力确切地表示为

$$G_{S_*} = QS_* \qquad (2\text{-}1)$$

式中　G_{S_*}——输沙能力,kg/s;

　　　Q——流量,m³/s;

　　　S_*——水流挟沙力,kg/m³。

从而将 QS_*P^m(借鉴马氏法)最大时所对应的流量作为造床流量。考虑到多沙河流非汛期枯水对河床塑造作用较小等特点,为方便计,取 P 为汛期各级流量出现的频率,水流挟沙力 S_* 采用如下通用公式计算[5],即

$$S_* = 2.5\left[\frac{(0.002\,2 + S_V)V^3}{\kappa\,\dfrac{\gamma_s - \gamma_m}{\gamma_m}gH\omega}\ln\left[\frac{H}{6D_{50}}\right]\right]^{0.62} \qquad (2\text{-}2)$$

式中　S_V——体积含沙量,与一般含沙量 S 的关系为:

　　　　$S_V = S/\gamma_s$;

　　　γ_s、γ_m——泥沙的密度(kg/m³)及浑水的重度

❶　张清,江恩惠,张原锋.黄河下游河道整治设计流量浅析.见:第十二届全国水动力学研讨会文集,1998

(kg/m^3)，后者可表示为：$\gamma_m = \gamma + (1 - \gamma/\gamma_s) S$，其中，$\gamma$ 为水的密度(kg/m^3)；

H——水深，m；

V——流速，m/s；

D_{50}——床沙中径，m；

κ、ω——浑水卡门常数和泥沙群体沉速，m/s。

式(2-2)中 κ、ω 可相应由如下两式计算：

$$\kappa = 0.4 - 1.68 \sqrt{S_V}(0.365 - S_V) \qquad (2\text{-}3)$$

$$\omega = \omega_0 \left[\left(1 - \frac{S_V}{2.25 \sqrt{d_{50}}} \right)^{3.5} (1 - 1.25 S_V) \right] \quad (2\text{-}4)$$

式中　d_{50}——悬沙中径，mm；

ω_0——泥沙在清水中的沉速，m/s；

其余符号意义同前。

由式(2-2)不难看出，引入 S_* 后，造床流量的计算不仅考虑了流量过程，而且还通过引入含沙量 S_V（或 S）等水力泥沙因子，适当反映了泥沙对造床过程存在的影响，反映了水流强度及泥沙粗度对造床过程的影响，显然从概念上更完善一些。采用 1973～1989 年系列年水沙资料对黄河下游花园口、夹河滩代表河段进行分析计算，认为采用上述输沙能力法确定造床流量时，取 $m = 0.6$ 较为合适。

根据 1973～1996 年黄河下游花园口、夹河滩水文站实测资料，分别计算各流量级相应的 $QS_* P^{0.6}$，点绘于图 2-1。可以看出，花园口、夹河滩站的造床流量分别为

$4\,000\text{m}^3/\text{s}$ 和 $3\,000\text{m}^3/\text{s}$。

图 2-2 为 1973～1996 年每年实际平滩流量与输沙能力方法计算的造床流量对比情况。可以看出,用输沙能力法计算的造床流量基本上能够反映当年平滩流量的变化,说明在黄河下游平滩流量比较难确定的情况下,可采用输沙能力法计算造床流量。

目前,黄河下游游荡性河道整治工程设计流量按造床流量确定。在对各种造床流量计算成果进行分析后,从安全考虑,取当地 $5\,000\text{m}^3/\text{s}$ 的流量作为设计流量,在潜坝工程设计时比较偏大,一般取 $4\,000\text{m}^3/\text{s}$ 的流量作为设计流量。

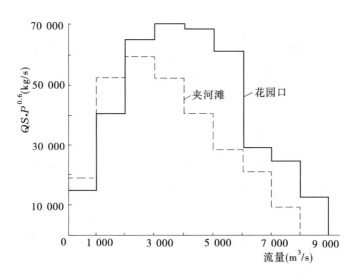

图 2-1　黄河下游花园口、夹河滩造床流量分析结果

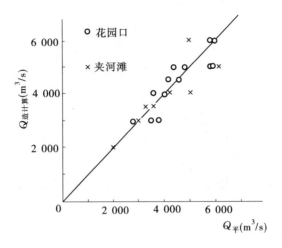

图 2-2 平滩流量($Q_平$)与造床流量计算结果($Q_{造计算}$)对比

2.1.1.2 设计水位

　　首先要综合分析历史上特别是近期黄河下游来水来沙条件和河道冲淤情况,并具体分析当年(或上年)的洪水表现,根据多年实测资料还原,加上历史洪水调查,采用经验频率、理论频率计算,结合物理成因综合分析确定拟建工程临近水文站的设计洪水及设计洪水位。然后,根据长时期工程所在河段水面比降变化,推求拟建工程所在位置的水位流量关系。一般采用的方法有水力因子法、实测资料和涨率分析法❶。由此水位流量关系曲线即可求得设计流量下的设计水位(这一部分工作黄委会每

　　❶ 申冠卿,李勇.黄河下游近年来河势变化特点分析.黄科技 Z_X-9914-34

年都做,设计时可直接采用)。

2.1.1.3 坝顶高程

潜坝坝顶高程的确定,既要考虑中低水位时控导河势,又要考虑高水位时不缩窄主槽泄洪断面,满足溢流泄洪需要。为此,坝顶高程一般应根据工程修建时间、所在位置平滩流量的相应水位并结合工程所在位置的滩面高程等情况综合考虑确定。一般地,潜坝坝顶高程可取当地 4 000m³/s 流量相应的水位。

2.1.2 坝顶宽度

潜坝具有高水位溢流泄洪的主要功能,若在溢流泄洪过程中形成急流,产生水跃,则必然在坝后一定范围内形成冲刷坑,从而影响到坝体的安全稳定。鉴于此,潜坝坝顶宽度(b)设计时一般以坝后不产生水跃为原则❶,即应进行具体的水力学计算,求出临界坝顶宽度($b_{临}$),由 $b \geqslant b_{临}$ 选取 b 或 b 的范围值。

为安全计,坝顶溢流水力学计算条件以黄河下游防洪标准为依据,即取花园口站设防流量 22 000m³/s 作为潜坝坝顶宽度设计堰流计算的水流条件。

潜坝坝顶宽度设计计算方法与具体步骤如下:

(1)确定当年花园口站 22 000m³/s 洪水时,黄河下游沿程各水文站的设计水位;

(2)确定拟建工程所在位置的相应水位,作为设计洪

---

❶ 河南黄河马庄控导工程设计报告.河南黄河勘测设计研究院

水位,计为 $Z_设$;

(3)根据折线型宽顶堰堰流的水力学计算方法[6],计算不同坝顶宽度在设计洪水位下堰顶溢流流量 $Q_堰$,并求出相应的堰上流速 $V_堰$(图2-3)。

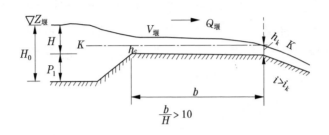

图2-3 潜坝坝顶溢流计算

梯形断面流量系数,一般介于宽顶堰与曲线型实用堰之间,其值为 $0.33\sim0.46$,实际计算时应根据相对堰高 P_1/H、下游坡比 $(1:2.5)$ 和拟定的不同相对堰顶厚度 δ/H,查《水力计算手册》[7]即得其流量系数,堰顶溢流的计算公式为:

$$Q_堰 = \sigma_s \varepsilon_1 mL \sqrt{2g}H_0^{3/2} \qquad (2\text{-}5)$$

式中　　H_0——包括行近流速水头的堰前水头,m,即

$$H_0 = H + \frac{v_0^2}{2g};$$

m——自由溢流的流量系数;

σ_s——淹没系数;

ε_1——侧收缩系数;

L——潜坝坝长,m。

如果不考虑侧收缩影响,且考虑最不利的情况,即堰上为自由出流情况时,其计算公式可简化为:

$$Q_\text{堰} = mL\sqrt{2g}H_0^{3/2} \qquad (2-6)$$

由此即可计算出不同堰顶宽度的堰顶溢流量 $Q_\text{堰}$。

如果堰上水流不产生水跃,则堰上水深为:

$$h_\text{c} = \xi H_0 \qquad (2-7)$$

查阿格罗斯金水力学教材[8]可知,当上游坡为钝角入口时,$\xi = 0.524$。此时,相应的堰上流速为:

$$V_\text{堰} = Q_\text{堰}/Lh_\text{c} \qquad (2-8)$$

(4)计算不同坝顶宽度在设计洪水位下相应堰上流速 V_0 的佛汝德数 Fr。

$$Fr = \frac{V_\text{堰}}{\sqrt{gh_\text{c}}} \qquad (2-9)$$

将 $Fr \leqslant 1$ 时的临界坝顶宽度 $b_\text{临}$ 作为设计坝顶宽度的下限值,即坝顶宽度 b 应满足下式:

$$b \geqslant b_\text{临} \qquad (2-10)$$

2.1.3 坝体边坡

潜坝坝体边坡的设计应经稳定计算确定,考虑坝体不高,也可参考土坝边坡、已建丁坝边坡、潜坝结构等综合考虑予以选取。土坝的边坡坡度取决于坝高、土料性质、运用情况、地基条件及坝型等因素[9]。在设计土坝时,先根据筑坝的实际经验,并参照类似的已建工程,初步选定坝坡,然后通过稳定计算与分析逐步修正。

在拟定坝坡时,考虑到上游坝坡经常浸在水中,土的抗剪强度低,抗滑能力小于下游坝坡,因此比下游坝坡应缓一些。初步拟定坝坡时,可大致参考表2-1所列统计数据,沙性土坝坡可采用较陡值,黏性土坝坡则采用较缓值。

表 2-1 土坝坝坡参考值

坝高(m)	上游坝坡	下游坝坡
<10	1:2.00~1:2.50	1:1.50~1:2.00

根据黄河多年的工程实践和坝体受力分析,从经济和坝体稳定的角度考虑,已建丁坝土坝体裹护部分边坡取1:1.1~1:1.3,非裹护部分边坡取1:2.0,散抛石裹护边坡外坡取1:1.3~1:1.5。

潜坝由土袋枕排垒填筑、外层铅丝石笼裹护,较已建丁坝稳定性好,考虑坝顶溢流水流条件,为安全计,坝体的临、背边坡坡比可在1:1.5~1:2.0之间选取。

2.2 沉排排体设计参数的确定

潜坝采用沉排护根时,需要确定坝前最大冲刷深度及冲刷坑的稳定坡度,据此设计沉排的宽度。

2.2.1 坝前最大冲刷深度

坝前最大冲刷深度的选择,应通过坝前冲刷深度计算和实测资料对比综合分析选定。

黄河下游丁坝坝前冲刷深度,一般采用阿尔图宁公式[10]计算。

$$h = h_0 + \Delta h \tag{2-11}$$

$$\Delta h = \frac{2.8V^2}{\sqrt{1+m^2}}\sin^2\alpha \qquad (2\text{-}12)$$

上二式中　　h——坝前冲刷坑深度,m;

h_0——水流的行进水深,m,设计流量下,取 $h_0 = 2.0$m;

Δh——局部冲刷深度,m;

V——行进水流的垂线平均流速,m/s,为安全计,可取历史上实测最大值;

m——沉排稳定后的边坡系数,一般取2;

α——水流与坝体轴线的夹角,(°)。

经分析,黄河下游河道水流与丁坝轴线相交角度大多数情况下介于30°和70°之间。考虑到坝体安全的需要,行进水流的垂线平均流速取1958年洪水期间(洪峰流量22 300m³/s)花园口水文站实测最大垂线平均流速4.4 m/s。经计算,不同条件下坝前冲刷坑深度如表2-2所示。

表2-2　　各种情况下局部冲刷坑深度计算结果

水流与坝轴线夹角 (°)	流速 V (m/s)	边坡系数 m	冲刷深度 Δh (m)
30	4.4	2	6.06
45	4.4	2	12.12
50	4.4	2	14.23
55	4.4	2	16.27
60	4.4	2	18.18
65	4.4	2	19.91
70	4.4	2	21.41

从表 2-2 可知,黄河下游丁坝坝前局部冲刷坑计算深度在 $6.06 \sim 21.41m$ 之间。如果取 h_0 为 $2.0m$,则坝前最大冲刷深度为 $23.41m$。

黄河下游丁坝为浅坝基修筑,水流冲刷出险后,只有不断抛投石料才能加固根基,缓解并消除险情。因此,判断坝基是否处于稳定状态,还可以通过探测根石深度来确定,即处于稳定状态下的坝体根石的深度可认为是坝前冲刷坑的最大深度。黄河下游坝岸根石探测情况见表 2-3。

表 2-3   **黄河下游根石探测深度统计**

断面位置	探测断面数（个）	深度(m)	
		最大	平均
迎水面	445	23.5	9.5
上跨角	112	20.6	10.4
坝 头	105	16.6	9.32
下跨角	85	18.3	8.09
背水面	15		8.21

探测资料表明,坝体迎水面至圆头交界处即上跨角至圆头前半部冲刷最强烈,迎水面中部则次之。一般情况下,坝前冲刷深度为 $8 \sim 9m$,局部最大冲刷深度为 $15 \sim 18m$。目前,黄河下游实测丁坝最深根基为建于清乾隆九年(1744 年)的花园口险工将军坝,即 90 号坝,其根石深度为 $23.5m$。

潜坝在坝顶漫溢前,因大河流量较小,坝前平均流速相对较小,尤其是潜坝都修在工程下首,水流方向与丁坝轴线夹角小,一般不超过 45°,坝前局部冲刷深度也较小。潜坝在坝顶漫溢后,因水流分散,冲刷坑也相应减少。考虑到土工织物特性和长管袋的护基作用,用于排宽计算的局部冲刷深度以 10~15m 较合适。

2.2.2 冲刷坑的稳定坡度

冲刷坑的稳定坡度决定于床沙的休止系数,或称泥沙的水下摩擦系数,即床沙的水下休止角的正切值。即是指:泥沙在静水中堆积成丘时,由于摩擦力的作用,可以形成一定的倾斜面而不致塌落,此倾斜面与水平面的夹角 φ 就称为泥沙的水下休止角[11]。水下休止角是泥沙较为重要的组合特性,国内外学者对于颗粒的水下休止角颇为重视,而且业已进行过一些试验研究。例如,C. Migniot 试验得出了砂与小砾石的水下休止角,随粒径增大由 31°变到 40°($d<$6mm),而相对密度为 1.40 的电木粉的水下休止角由 34°增至 46°($d<$4.5mm)。水下摩擦系数约与粒径的平方根成正比,且得出了泥沙密度减小时其水下休止角将增大的结论。国内学者张凤昆用粒径范围为 0.20~4.37mm 的泥沙进行试验,得出了水下休止角与粒径的关系式[12]:

$$\varphi = 32.5 + 1.27d \qquad (2-13)$$

尚需指出的是,有关泥沙水下休止角的类似试验,不仅结果存在着较大的差异,而且试验方法及材料品种、泥沙的粒径范围等,还难以满足黄河上生产和科研工作的需要。为此,我们对黄河天然沙的水下休止角进行了较为系统的试验研究。试验结果表明,黄河下游河床的水下休止系数一般在 0.5 附近,即坡度系数在 2.0 左右(参见本书 3.5.1),冲刷坑的边坡可处于稳定状态。

2.2.3 沉排排体宽度

护底沉排是在丁坝坦坡前沿河床底部铺设一定长度和宽度的防冲反滤排体,保护坝址附近河床不受水流直接冲刷,达到减少丁坝出险的目的。它的主要作用有以下几方面。

(1)抗冲。护底沉排按预定最终形成的冲刷断面设计,排体沿河床外伸一定宽度,大大提高了沙质河床的抗冲性。同时,延长了水流行程,减小了水流对坝基的冲刷强度。

(2)护底。排体底部铺设防冲反滤布,排体压载依靠纵横向联结成为整体,不会因冲刷散失,从而对排体下部河床形成较稳定的封闭层,使靠近坝体的床沙得到保护,免遭水流淘刷。图 2-4 为马渡险工 26 号坝下护岸沉排护底断面图,可以看出坝址附近床沙得到有效保护。

(3)使冲刷坑外移。由于排底趾部河床不能冲刷,首先使排体外沿的床沙被冲蚀,形成一定冲刷坑后,排体防冲反滤布前端在上部排体压载的作用下,紧贴床面并随河床变形下蛰内收,冲刷坑靠近坝体的一侧得到保护,限制了冲刷向坝基发展,起到了把坝前冲刷坑外移到不影响或少影响坝体安全的外围区域,从而解决了丁坝因河床变形基础下蛰出险的问题。黄科院王恺忱等通过室内模型试验,得出床面布设防冲物“人形块”,前后坝前局部冲刷坑分布情况,如图 2-5 所示。从图中可以看出冲刷坑的外移是非常显著的。

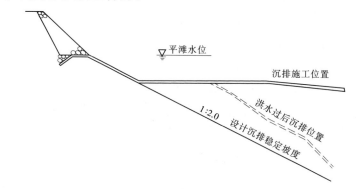

图 2-4　马渡险工 26 号坝下沉排护底断面

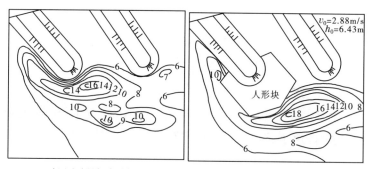

(a)验证试验局部冲刷水深示意图　　(b)布调人形块时的局部冲刷水深示意图

图 2-5　坝前局部冲刷坑分布(单位:m)

2.2.3.1　坝前沉排宽度

根据传统丁坝出险原因和黄河下游河床易冲刷的特点,结合土工织物具有强度高、柔性好、耐冲刷、透水性能强、延伸率高、使用寿命长等优点,利用土工织物做成的沉排,铺放在坝前受溜部位,排体随排前冲刷坑的发展逐步下沉,自行调整坡度直至稳定坡面,达到护底和护根、防止水流淘刷、保护工程安全的目的。其围护宽度，一是取决于排前冲刷坑最终的稳定深度，二是取决于排体(冲刷坑)最终的稳定坡度。

根据水流冲刷丁坝各部位最大冲刷深度和排体沉降至稳定深度时的稳定坡降，分别计算出排体各部位的宽度。但鉴于排体在水下施工过程中，不可避免地出现排体被冲斜和施工部位河底高低不平等情况，排体宽度计算时应考虑褶皱和冲斜等影响。坝前排宽计算公式为：

$$L = \alpha_1 \alpha_2 L_1 = \alpha_1 \alpha_2 \Delta h \sqrt{1 + m^2} \qquad (2\text{-}14)$$

式中 α_1——褶皱系数，取 1.1；

       α_2——冲斜系数，取 1.2；

       L_1——稳定斜坡长，m，$L_1 = \Delta h \sqrt{1 + m^2}$；

       Δh——局部冲刷深度，m；

       m——排体受冲后的稳定坡度，取 2.0。

经计算，不同冲刷深度条件下的沉排宽度有较大差异，其数值介于 29.5m 和 44.27m 之间，具体结果见表 2-4。

表 2-4   **各种冲刷深度所需的沉排宽度**

冲刷深度 (m)	褶皱系数	冲斜系数	稳定边坡	沉排宽度 (m)
10	1.1	1.2	2	29.5
11	1.1	1.2	2	32.5
12	1.1	1.2	2	35.4
13	1.1	1.2	2	38.4
14	1.1	1.2	2	41.3
15	1.1	1.2	2	44.27

潜坝坝头区受水流影响较大,该部位的沉排宽度确定方法同坝前沉排宽度的确定方法。

2.2.3.2 坝后沉排宽度

潜坝坝顶宽度是按照实用堰溢流泄洪且不产生水跃的原则确定的。按此设计原则,坝体在溢流泄洪过程中,坝后一般不易形成冲刷坑,但坝体在未产生溢流过洪前及控导河势过程中,坝后易产生回流,造成坝基淘刷,影响坝体的安全稳定。鉴于此,坝后排宽的计算应以丁坝下跨角的冲刷深度作为计算标准。从表2-3可知,丁坝下跨角至背水面一般冲刷深度在8m左右,考虑到水流漫坝以后,下蛰水流冲刷能力较强,冲刷坑坡度较大,因此坝后沉排稳定坡降按1:1考虑,经计算,沉排宽度约为15m。

2.3 沉排稳定性分析

护底沉排的稳定,在水下深度、坡度、摩擦系数等不变的情况下,主要取决于排布上的压载,即沉排水下浮压强的大小。计算内容包括沉排抗浮稳定、抗滑稳定及排体边缘抗掀动稳定。

2.3.1 沉排的抗浮稳定

影响沉排抗浮稳定的因素十分复杂,主要有波浪的冲击力、浪前峰引起的浮托力、水流流速变化导致的作用力、波浪进退产生的吸力等。上述黄河下游河道整治工程排布上压载量的确定,主要根据《水利水电土工合成材料应用技术规范》(SL/T225—98)[13]的规定,当流速小于

3m/s 时,沉排压重可采用 1kPa,即 102kg/m²。一般情况下,排体抗浮可以通过计算稳定控制系数 S_N 来进行判定,计算公式为:

$$S_N = \frac{H}{\gamma'_R t_m} \qquad (2-15)$$

式中 H——波浪高,m,$H = 0.37D^{1/2}$,其中 D 为吹程,km;

γ'_R——排体在水下的无因次相对重度,$\gamma'_R = (\sigma_m - \sigma_w)/\sigma_w$,其中,$\sigma_m$ 为排体密度,kg/m³,σ_w 为水的密度,kg/m³;

t_m——排体厚度,m。

根据链锁排在 $S_N < 5.7$ 时排体压载是安全的,可以此作为标准对不同沉排的稳定与否进行判断。

南京水利科学研究院曾经在长江上做过试验,认为流速为 3m/s 时,压载超过 100kg/m²,沉排即可达到稳定[2];荆江上直接采用的稳定压载为 320~460kg/m²。黄河下游垂线平均流速一般可达 4m/s,比南京水利科学院试验流速大 1m/s,而且坝体附近流态一般都比较复杂,可根据实际情况,综合考虑确定压载,一般可取 200kg/m²。

2.3.2 沉排的抗滑稳定

随着排前冲刷坑的发展,沉排逐渐下沉并产生指向坑底方向的下滑力,见图 2-6。

沉排的抗滑稳定性用抗滑稳定系数(F_n)来表示。

如压载物和自然土之间存在反滤排布,计算时要考

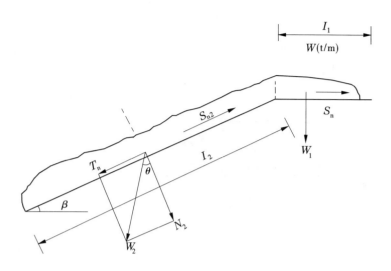

图 2-6 沉排受力分析

虑压载物和反滤排布及反滤排布和自然土之间的摩擦系数,选其中较小的摩擦系数进行计算[2]。

$$F_n = \frac{S_n}{T_n} = \frac{S_{n1} + S_{n2}}{T_0} = \frac{(\mu_1 + I_2\mu_2\cos\theta)\omega}{\omega I_2\sin\theta}$$

$$= \frac{I_1\mu_1 + I_2\mu_2\theta}{I_2\sin\theta} \tag{2-16}$$

式中　ω——沉排单位长度的平均重量,kN/m,在水下时用浮容重;

　　　I_1——未沉降沉排长度,m;

　　　I_2——冲刷坑斜面上沉排长度,m;

　　　θ——坡面倾角,(°);

　　　S_n——抗滑力,kN;

　　　S_{n1}——对应于 I_1 的未沉降沉排的抗滑力,kN;

S_{n2}——对应于 I_2 的冲刷坑斜面上沉排的抗滑力，kN；

T_n——滑动力，kN；

μ——各材料间摩擦系数，相应地有 μ_1、μ_2。

为保证排体具有一定的安全性，要求抗滑系数 $F_n \geqslant 1.3$，如不能满足此要求，可考虑采用锚固措施。

2.3.3　排体边缘抗掀动稳定

排体边缘不致被掀起的条件是该处的流速必须小于某临界流速 V_{cr}[2]。

$$V_{cr} = \theta \sqrt{\gamma'_R \cdot g \cdot t_m} \qquad (2-17)$$

式中　$\theta = (2/C_1)^{1/2}$，其中，C_1 为浮力系数；

g——重力加速度，m/s^2；

γ'_R、t_m 的含义同前。

当排体边缘流速（V）满足：

$$V < V_{cr} \qquad (2-18)$$

即认为排体满足边缘抗掀动稳定。

排体边缘流速用下式计算：

$$V = V_{水面} \left[\frac{Y}{h_0} \right]^x \qquad (2-19)$$

式中　Y——水下排体计算点距水面距离，m；

h_0——排前水深，m；

x——指数，取值为 1/3；

$V_{水面}$——水面实测流速，m/s，实际计算过程中也可采用河段内河底实测最大流速。

3 河工模型试验结果

有关丁坝问题的研究可以追溯到 20 世纪初,但对丁坝水力学问题进行较为深入的定量研究则是近三四十年的事。目前,科研人员多限于对不漫水丁坝的研究,对漫水丁坝仅有一些定性的描述和结论[14]❶。在不漫水丁坝的局部冲刷、坝后回流长度、丁坝断面的流速分布方面,科研人员做了大量的研究工作[15]❷❸,但存在许多分歧,而丁坝漫水又使这些问题更为复杂,并随之产生一些新的问题。新的问题主要集中在水力因素与泥沙特性的作用方面。合肥工业大学对该问题曾做过详细的研究,但对动床条件下漫水丁坝的研究还不能满足黄河生产的要求。对于长管袋沉排潜坝方面的研究成果国内外还较少见。

由于具有"一次投资,长期受益"、"低水位时控导溜势,洪水期漫坝溢流"等优点,在近些年的治黄工作中,潜坝越来越受到重视。为此,黄科院通过局部动床模型试验,对水流流向与坝轴线分别成 60° 和 90° 角时长管袋褥垫沉排潜坝的坝头局部冲刷机理、冲刷发展过程及潜坝

---

❶ 蒋焕章等.丁坝局部冲刷计算及冲刷防护.交通部公路科学研究所等,1985

❷ 孔祥柏.丁坝绕流若干问题试验研究.南京水利科学研究所,1981

❸ 窦国仁.丁坝回流及其相似律的研究.南京水利科学研究所,1981

稳定性等关键性技术问题进行了研究。

3.1 模型设计

由于研究的重点是局部流态分布与局部变形问题，试验必须采用正态模型[16]。对于水流条件，主要控制来流流向和单宽流量的大小。

3.1.1 水平比尺及流速比尺

根据试验要求及场地条件，选取几何比尺 $\lambda_L = \lambda_h = 100$，由水流的重力相似条件得流速比尺 $\lambda_V = \sqrt{\lambda_h} = 10$。

3.1.2 模型沙选择

根据近些年黄科院开展动床河工模型试验的经验，选取郑州热电厂粉煤灰作为模型沙，其密度 $\gamma_{sm} = 2.11$ t/m³，比尺 $\lambda_{\gamma_s} = 2.65/2.11 = 1.26$，水中泥沙与水的容重差比尺 $\lambda_{\gamma_s-\gamma} = 1.65/1.11 = 1.49$。该模型沙烧失量大，可动性好，易于分选，造价低廉，可以较好地模拟黄河天然沙的冲刷和淤积过程❶。

3.1.3 模型沙起动相似

为确定原型底沙的起动流速，通常采用的方法是利用黄河下游河道及引黄渠系不冲流速与床沙质含沙量资

---

❶ 张红武等.黄河花园口至东坝头河道整治模型验证试验报告.黄河水利科学研究院,1991

料,点绘 $h = 1$m 时不冲流速与含沙量的关系,由此得清水时的不冲流速 $V_{cl} = 0.85$m/s,再由如下关系式:

$$V_c = V_{cl}h^{1/6} \tag{3-1}$$

可定出原型水深为 $5 \sim 8$m 时的起动流速 $V_c = 1.11 \sim 1.20$m/s,处在《水力计算手册》[7]中确定的 $V_c = 1.05 \sim 1.39$m/s 范围之内。于是取原型沙起动流速 $V_{cp} = 1.05 \sim 1.39$m/s。

根据黄科院基础试验结果❶,采用 $D_{50} = 0.035 \sim 0.040$mm 的郑州热电厂粉煤灰作为本模型的床沙可满足起动相似条件。

3.1.4 模型其他比尺的确定

(1)单宽流量比尺:$\lambda_q = \lambda_h \cdot \lambda_V = 1\,000$

(2)时间比尺:$\lambda_t = \lambda_L / \lambda_V = 10$

3.2 试验采用的潜坝坝体结构❷❸

潜坝由长管袋沉排和坝体两部分组成。长管袋沉排下铺褥垫沉排布,褥垫沉排布的主要作用是使长管袋连接为一个整体和保护布下的泥沙颗粒不被水流带走,以

❶ 张红武等.动床河工模型相似律的研究.黄科技第 90056 号,1990 年 10 月

❷ 耿明全等.马渡下延河道整治工程 94、95 坝施工图设计.河南黄河勘测设计院,1997 年 11 月

❸ 陈懋平等.河南三官庙河道整治工程修改补充初步设计.河南黄河勘测设计院,1998 年 3 月

实现长管袋沉排的整体性、施工定位方便及坝体的稳定。坝体用土袋体抛堆,表面用土工网石笼围护,以保证洪水漫顶时不被冲垮,见图3-1。

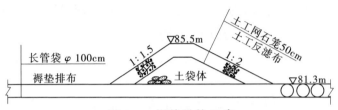

图3-1 坝体结构示意

潜坝不仅要考虑坝前冲刷,而且还要考虑坝顶漫溢后的坝后冲刷问题,因而沉排面积较大,垂直坝轴线方向宽度为70m。坝圆头沉排扇面半径为35m,按1:2的冲刷稳定坡降计算,坝圆头沉排防护范围为31.30m。长管袋编织布及褥垫沉排布均选用国内毛纺厂生产的反滤布。

3.3 模型布置与试验安排

为保证试验区水流稳定,模型总长24m,其中试验段长20m。水流入流角度选60°和90°两种,来流按清水考虑。试验共进行两组。第一组试验,水流流向与坝轴线成60°角,沉排扇面直径参考黄河排体设计一般情况,取值70m,单宽流量 $q_p = 5.43\text{m}^3/(\text{s·m})$,放水总历时为39小时10分钟;第二组试验,水流流向与坝轴线成90°角,坝体直段长130m,沉排扇面直径70m,单宽流量 $q_p = 6.10\text{m}^3/(\text{s·m})$,放水总历时为24小时30分。模型上选择易透水、滤沙效果好、拉力满足要求的白棉布作为长管袋及排布材料。

3.4　试验结果分析

3.4.1　基本冲刷机理

对于整治建筑物,要想设计得经济、合理、安全,就必须弄清局部冲刷的水流现象和基本规律。丁坝的局部冲刷问题,早在公元 1856 年米纳尔德(Minard)就提出过这个问题,20 世纪 30 年代以来,中国、巴基斯坦、印度、日本、美国、苏联和加拿大等国的许多学者,在不同程度上先后对丁坝的清水冲刷和浑水冲刷的机理、影响因素、水流结构、局部最大冲深计算公式和回流长度计算公式等进行了大量的试验研究和野外观测,但因其水力学问题的复杂性,基本的定性研究就存在许多分歧。

丁坝的存在使得周围的水流状况变得较为复杂。有关丁坝的冲刷机理——产生坝头局部冲刷的主要原因,尚存在许多认识上的差异,有些学者认为是坝头附近的漩涡系所造成的[17];也有学者认为是坝头附近的下潜水流而引起的❶;还有一些学者认为是丁坝压缩局部水流导致坝头附近的单宽流量增大所致[18]。根据我们对试验过程中的水流结构所进行的观测和分析,上述三种观点均说明了坝头附近河床局部冲刷成因的某个方面,实际上它们应是互相联系和共同作用的,即坝头附近局部冲刷

---

❶　蒋焕章.丁坝局部冲刷计算.交通部公路科学研究所,1985

的成因应是下潜水流、坝头附近水流单宽流量的增加以及它们的相互作用所产生的漩涡系综合作用的结果。

对于不漫水丁坝周围的水流结构,很多研究者都已有描述❶[19]。作为漫水丁坝,由于坝顶出现漫水,使它周围的水流情况又出现新的特点,汪德胜❷和我们均对此进行了详细观察,图 3-2 是漫水与不漫水丁坝周围水流情况比较图。

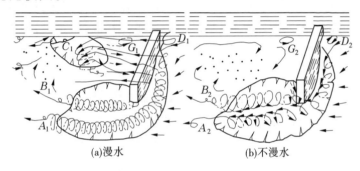

(a)漫水   (b)不漫水

图 3-2　丁坝周围水流情况示意

将图 3-2(a)、图 3-2(b)比较可以看到,一般情况下,漫水丁坝周围除了有与不漫水丁坝相对应的涡系 A_1、B_1、D_1、G_1 外,在丁坝下游多出一组水平轴涡系 C_1。另外 A_1 与 A_2 略有不同,它是分向坝头与坝顶两股水流合成作用的结果。B_1 和 B_2 都是绕坝头四边缘的水流因流速梯度突变而产生的一斜轴涡系。A_1、B_1 是产生丁坝坝前

❶　蒋焕章.丁坝局部冲刷计算.交通部公路科学研究所,1985 年 3 月

❷　汪德胜.漫水丁坝若干水力学问题的试验研究.合肥工业大学研究生毕业论文,1986

与坝头局部冲刷的主要原因之一。

C_1 是过坝顶的水流在坝后形成的水平轴涡系。水平尺度为坝高的 3~4 倍。它一方面增加轴心位置的床面冲刷；另一方面又把冲刷的泥沙带到坝踵处。故 C_1 对丁坝安全影响不大。由 B_1 和 C_1 的综合作用决定坝后的河床演变。当坝顶水头较小时，B_1 的作用显著，坝后回流淤积区可达十几倍坝长；当坝顶水头较大时，B_1 的作用会因坝顶水头而削弱较大，但由 C_1 产生的回流淤积区也可在 3~4 倍的坝高，B_1 也还能起削弱下游流速的作用。丁坝坝顶漫水后，在近河床处仍存在回流区。

漩涡 D_1、G_1 是两组诱发性涡系，它们的存在及变化与丁坝挑角关系较大。当挑角减小时，D_1 也随之减小，而当挑角小于 30°时，D_1 便基本消失。当挑角增大时，G_1 随之减小，D_1 增大。当挑角大于 150°时，G_1 便基本消失。

另外，由试验还发现：在丁坝上游 5~6 倍坝长范围内，流线由丁坝岸偏向丁坝对岸，离河底越近偏角越大，离丁坝越近偏角越大。它们有个共同的特点：流速越大处偏角反而越小。这是因为流速越大越难改变方向，从而把某处的流向突变转化为较大范围内的渐变来完成，这样就出现了上述现象。

从水流整体角度观察，丁坝实际上发展了水流的蜿蜒性，在丁坝一岸形成了人工凹岸，这也许是用丁坝来整治弯道的原因之一。

当水流冲击潜坝时，在潜坝上游面产生壅水，形成高压区，而在坝头附近，则由于水流的绕流作用，流速较大，形成低压区。位于高压区的底层水流向坝头的低压区前进,并折向河床形成环绕坝头的螺旋流,使坝头附近河床发生冲刷。图3-3为不同入流角度时的冲刷坑地形图。两种入流形式冲刷坑最深部位均在潜坝下跨角处,不同的是水流流向与坝轴线成90°时,冲坑范围较大,冲刷已波及到潜坝迎水面,这是由于水流受正交潜坝阻挡后,在迎水面前螺旋流作用较大所致。

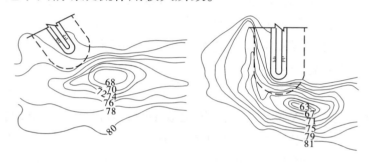

(a)水流流向与坝轴线成60°   (b)水流流向与坝轴线成90°

图3-3　不同入流角度时的冲刷坑地形

潜坝表层水流在坝后形成跌水,坝后20～200m范围内形成缓流区,流速均小于1.5m/s。受坝体阻挡折向坝头的表层水流与上游来流交汇,在下跨角形成回流,回流区水流挟沙能力降低,泥沙大量落淤,从下跨角沿回流带形成沙垄,详见图3-4。

3.4.2　冲刷发展过程

在试验过程中发现,当水流流向与坝轴线成90°角时,坝头前冲坑发展较快,冲刷历时24个小时就基本达

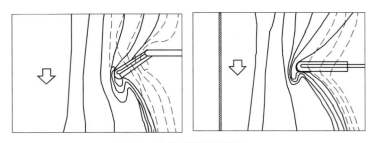

- - - 过坝表层水流流向

(a)水流流向与坝轴线成60° (b)水流流向与坝轴线成90°

图 3-4　水流流向示意

到冲深稳定,最大稳定冲深约 19.5m。由图 3-5 可以看出,在前 10 个小时内,冲刷基本上是急剧发展,冲深增加较快,冲刷坑范围扩展也相对较快,与 24 个小时的冲深相比,在前 10 个小时内的冲深已达其深度的 40% ～ 60%,10 个小时后,冲深发展的速度已渐趋缓慢。这是由于冲刷深度增大,水深增加,致使坝头前螺旋流对床沙的冲刷强度逐渐减弱。水流流向与坝轴线成 60°角时,冲刷发展较为缓慢,冲刷历时 33 个小时才基本达到冲深稳定,最大稳定冲深也相对较小,约 15.8m。

　　试验得出的坝前冲刷坑深度与表 2-2 计算结果相比,可以看出计算值均大于试验结果,说明设计是偏于安全的。

3.5　潜坝稳定性试验

3.5.1　坝前冲刷坑的稳定坡度

　　如前所述,为了研究坝前冲刷坑的稳定坡度,我们对

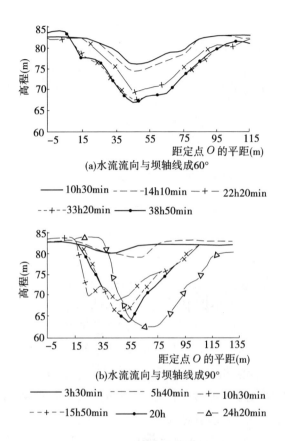

(a)水流流向与坝轴线成60°

——— 10h30min - - - -14h10min — + — 22h20min

- - + - -33h20min —●— 38h50min

(b)水流流向与坝轴线成90°

——— 3h30min - - - - 5h40min — + — 10h30min

- - + - -15h50min —●— 20h — △— 24h20min

图 3-5 断面冲刷地形图

(说明：O 点为从潜坝圆头中心算起往下游到坝
轴线(90°)垂直距离为 40m 处一定点)

黄河天然沙的水下休止角进行了较为系统的试验。试验
设备除了长 2.5m、宽 2m、深 1.5m 的试验水池外，细颗粒
的试验主要是在直径为 40cm 的透明玻璃容器里进行的。
测试时借助于试验水池绘制的坐标，并利用自制的坡角量测仪校核。

试验主要采用自然落淤法和圆盘法进行,测试内容主要是丘体坡度。当沙样堆积未能成丘,则该组试验作废重做。粗颗粒泥沙松散,试验易做,而用较细颗粒泥沙试验时,由于聚凝现象显著,试验进程缓慢,且难度较大。此外,试验时力求注重寻求临界状况。

在进行天然沙水下休止角试验的同时,我们还进行了有关级配和介质对泥沙休止角影响的试验。试验材料粒径范围为 0.061～9mm,共进行了 16 组次试验。

试验得到的天然沙水下休止角关系曲线如图 3-6 所示,该曲线可以近似以下式表达:

$$\varphi = 35.3d^{0.04} \tag{3-2}$$

式中　　φ——水下休止角,(°);

　　　　d——泥沙粒径,mm。

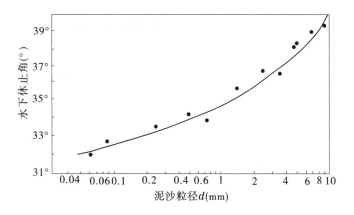

图 3-6　天然沙水下休止角试验结果

暴露在空气中的泥沙的休止角通常比水下休止角大 $0.5°\sim2°$。一般地,分散颗粒的休止系数随粒径的减小而减小,孔隙率越大,休止系数越小。黄河下游床沙的水下休止角一般为 $30°\sim33°$,休止系数约相当于 0.5。因此,本书 2.2.2 所述冲刷坑的稳定坡度系数以 2.0 设计是合理的。

3.5.2　土工布与黄河沙水下摩擦角

水下土工布与黄河沙、土工布与土工布之间的摩擦角,直接影响对长管袋沉排抗滑稳定性的判定。江恩惠等先后对这个问题进行了深入的研究❶,试验结果见表 3-1。该研究结果已经在黄河下游禅房控导工程设计中采用,效果良好。因此,表中试验数据可直接引入式 (2-16)进行沉排抗滑稳定性设计。

表 3-1　　土工布与黄河沙水下摩擦角试验结果

材　　料	水下摩擦角(°)	水下摩擦系数
编织布与黄河沙之间	$31.54\sim35.41$	$0.614\sim0.711$
反滤布与管袋编织布之间	$23.75\sim27.25$	$0.44\sim0.515$
反滤布之间	$32.17\sim33.98$	$0.629\sim0.674$
管袋编织布之间	$23.32\sim25$	$0.431\sim0.466$

❶　江恩惠等.黄河禅房土工充填袋沉排坝模型试验.见:黄科所首届青年科技学术讨论会论文集,1990

3.5.3　不同入流角度时潜坝的稳定性

长管袋沉排在放水前均埋于床面以下 2m,迎水面及坝头部分经水流冲刷,大部分暴露于水中,在上跨角和坝圆头前方,由于水流冲刷形成冲坑,沉排则相应调整下沉形成倒垂。在放水过程中,冲坑范围内的沉排边缘有一定的悬浮,这是由负压所致,停水后即贴于床面。受潜坝坝顶漫溢在坝后形成跌水的影响,背水面河床有一定冲刷,但沉排始终埋于床面以下,特别是下跨角后侧,由于形成回流,床面发生淤积。从观测看,水流流向与坝轴线成 60°角时,冲坑内沉排下沉范围没有影响到坝头根部,表明扇排宽度满足要求。潜坝坝顶过流,水深约 1.8m,流速 1.5m/s。试验过程中,上跨角有少量根石走失,大部分滚落冲坑内,河床则因用长管袋沉排进行覆盖保护,坝体无明显变形。

水流流向与坝轴线成 90°角时,由于潜坝迎水面前方螺旋流作用影响较大,冲坑范围增大,使得沉排暴露于水中的范围随之加大,倒垂比降较大,为 1:2.1。由于冲坑较深,冲坑范围沉排下沉宽度波及到坝头,坝头散抛石走失较为严重,表明扇排宽度不够。试验潜坝坝顶过流水深 1m,流速 2m/s。从观测看,坝体无塌陷情况,稳定性较好。

3.5.4　潜坝坝后稳定性

前些年,黄科院曾专门进行过黄河控导工程丁坝过水土工织物防护试验研究。在这项研究成果及"网罩护根"防止根石走失途径研究成果基础上,同时考虑到几乎所有的不同于传统工程结构的新结构在黄河上都难以奏效这一现实,我们提出的能适应大水漫顶需要的工程结构见图 3-7。该结构造价低,便于施工,与传统的工程结构相比较为理想,因此具有很大的实用价值。

模型检验试验结果表明,由于坝体已被土工织物及网罩块石所防护,故漫顶后仍具有较好的控导效果,由图 3-7 可看出水流作用后的工程附近冲坑形态,不仅冲刷坑远离潜坝,而且冲刷深度较小。

为防止铅丝网遭受人为破坏,坝体临河面枯水位以上部分可压铺一层块石,坝顶及背河部分,表面可用土掩盖。

3.6 小结

综合以上模型试验结果,我们发现:当水流与丁坝夹角较小时,床面用沉排覆盖保护后,沉排能较好地保护坝基,使坝体具有较强的抵抗水流冲刷变形的能力,另外能够阻止坝头冲刷向坝头根石坡脚方向破坏发展,从而保持了坝体的整体性和较好的稳定性。坝体受水流作用的方向不同,沉排的防护效果就不同。当水流与坝轴线成 90°角时,潜坝上跨角部位及坝头前冲刷最强烈,特别是坝前头,在冲坑冲深达到 13m 以上时,沉排褥垫下沉已波及到坝头基础,根基网石滑落走失较为严重,丁坝裹护体的稳定性受到影响。

由冲刷地形图可以看出,冲坑最深点距离下跨角沉

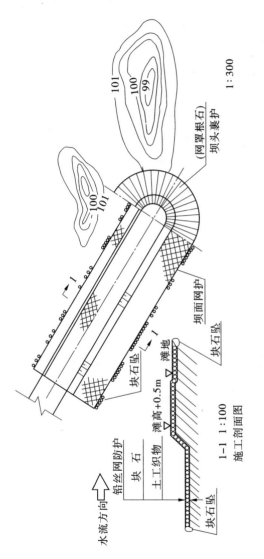

图 3-7 河道工程新结构型式及坝后冲坑形态

排边缘较近,因而在工程运用时特别要注意沉排边缘的保护。在模型试验中还发现,沉排褥垫在下沉过程中,当冲刷达到一定深度时,褥垫前沿有一定的浮起现象,这是由于冲刷水流在排体下不能及时排出,形成负压所致。为了使沉排更好地适应床面的变形,沉排边缘可以加厚加重,或每隔一定距离系一个石坠。

4 土工布选择

长管袋及其褥垫所用土工反滤布必须满足一定条件,合理选用。在充沙施工过程中,为防止长管袋及其褥垫因充灌压力过大而崩裂和充沙长管袋及其褥垫悬挂受拉破坏(运用中最不利受力状态),长管袋及其褥垫用的土工反滤布,要满足泥浆泵充灌压力对土工反滤布的强度要求和工程运用及抢险对土工反滤布的强度要求,同时还要满足充填过程中的滤土保沙和防淤堵要求。

4.1 土工反滤布强度要求

土工反滤布强度要求,主要是指泥浆泵充灌压力对管袋反滤布强度的要求。美国学者 Leshchinsky 等,对泥浆泵抽沙充填土工反滤布长管袋施工条件下的土工布强度进行了推求,其主要假定是[12]:

(1)按平面问题考虑,长管袋中压力始终维持泥浆泵充灌压力,忽略因水量排出的压力损失;

(2)长管袋材料很薄,具有很好的柔性,其本身的重量忽略不计;

(3)充入的是泥浆,管内是静水压力分布;

(4)泥浆与管壁间无剪应力。

设计主要是根据长管袋尺寸要求,选用强度和变形等特性满足要求的土工反滤布或预估充填料固结稳定后长管袋的几何形状。可采用 Leshchinsky 等对设计方法研究成果进行计算[2]。

长管袋材料的轴向拉力 Taxial（以下简称为 T_a），如图 4-1 可借轴向力（图中 z 方向）的平衡求得：

$$T_a = \frac{2}{L}\int_0^h (P_0 + \gamma x) y(x) \mathrm{d}x \qquad (4\text{-}1)$$

式中　T_a——长管袋管壁单位长度所受轴向拉力；

　　　L——管袋断面周长；

　　　P_0——静水压力，kN/m^2；

　　　γ——水的容重，kN/m^3；

　　　x——管壁至管顶中心线的垂向距离，m；

　　　h——水深，m。

一般情况下，长管袋管壁的切向拉力 T 大于轴向拉力 T_a。如果管材强度各向同性，T_a 可不必计算。强度计算结果应考虑安全系数，除为了安全储备，也因为材料的接缝强度较母材为低。

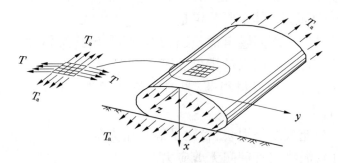

图 4-1　单元长管袋受力分析

4.2 土工反滤布透水保沙要求

抽沙充填土工织物长管袋及其褥垫反滤布在满足强度要求的同时,还必须满足土工反滤布 Giroud 挡土准则,即土工织物反滤布有效孔径要满足动水荷载条件下的透水保沙要求[13]:

$$O_{95} < d_{50} \tag{4-2}$$

式中 O_{95}——反滤布有效孔径,mm;

d_{50}——被保护土壤中值粒径,mm。

根据黄科院所做的黄河下游河道内土壤颗粒级配资料得知:河南河段河道泥沙中值粒径 d_{50} 在 $0.07 \sim 0.084$mm 之间,而且河槽中泥沙明显粗于滩地(河槽泥沙粒径是滩地的 $1.5 \sim 2.0$ 倍)。

4.3 土工布的选择

土工布的选择除根据强度计算、透水保沙准则外,还应根据其用途选择满足相关技术参数要求的土工织物布。

4.3.1 排体反滤布

要求透水、滤沙性好,其技术参数为:①经纬向强度不低于 100kg/5cm;②经纬向密度不少于 60 根 × 64 根/dm²。

4.3.2 管袋布

其技术参数为:①经纬向强度不低于 50kg/5cm;②经纬向密度不少于 48 根×48 根/dm²;③单丝极限充填压力不小于 0.5kg/cm²;④折径为 0.88m;⑤长度等于沉排宽度。

4.3.3 坝体反滤布

其技术参数为:①密度不低于 0.9t/m³;②破坏抗拉强度不低于 10MPa;③延伸率不低于 300%;④抗冻性不低于 - 60℃。

根据上述原则,潜坝排布一般可选用幅宽 3.8m、质量为 246g/m²、强度最小为 1.77kN/cm² 的反滤布。而管袋布可选用平织布。

综合以上各项要求技术分析,选择长管袋褥垫反滤布的力学性能指标汇总于表 4-1。

表 4-1 长管袋褥垫反滤布的主要力学性能指标

项目		单位	平均值	最大值	最小值	试样数	变异系数
单位面积质量		g/m²	246	253	242	10	0.017
厚度(2kPa)		mm	0.60	0.63	0.57	10	0.04
条带拉伸	抗拉强度 纵向	N/5cm	1 858	1 950	1 770	6	0.036
	伸长率 纵向	%	19	20	17	6	0.071
	抗拉强度 横向	N/5cm	1 828	1 900	1 670	6	0.046
	伸长率 横向	%	24	26	20	6	0.083

项目		单位	平均值	最大值	最小值	试样数	变异系数
握持强度	纵向	N	1 322	1 490	1 250	6	0.067
	横向	N	1 338	1 410	1 270	6	0.042
梯形撕裂强度	纵向	N	723	820	630	6	0.094
	横向	N	753	840	580	6	0.129
圆球顶破强度		N	2 240	2 430	1 980	10	0.066
垂直向渗透系数		cm/s	1.3×10^{-3}	1.4×10^{-3}	1.2×10^{-3}	2 组	单层试样
等效孔径 O_{90}		mm	0.061	0.068	0.050	3	

5 潜坝施工技术

5.1 沉排部件加工

排布加工,是潜坝施工的一项重要环节,不但要满足设计要求,方便施工,还要根据布幅宽度,找出最经济的加工方法。加工时,先用电热切割器将排布切割成需要的布块,然后用封包机将排布组成满足设计幅面的排体布。每块排体布左、右及上游三边各包裹化纤绳或棕绳一根,以防止铺放布时被撕裂。同时有包裹绳的三边每间隔 4m 和 2m 拴缚牵拉绳和连接绳各一根,最后将加工好的布按"Z"形折叠捆好,存放于蔽光阴凉处备用。

管袋加工:首先将土工布切割成设计长度,然后用封包机缝制折径为 0.88m 的管袋。将双层管袋中间加套同径的塑料膜袋后打捆编号即成。为了使管袋充填时能够排出多余的水和气体,可在管袋尾端缝制一与大管袋相通的排水小管袋,用于排水滤沙,管袋充填后予以捆扎。

5.2 防冲排布铺放

排布铺放是施工的主要工序之一,也是潜坝能否成功的关键。

排布铺放采用同步沉放法❶,其步骤为:

(1)将船分别定位于设计铺布位置的左、右、上游三边,中间停放托布船一只。

(2)在定位船内侧每隔 4m 抛一长 2m、宽 1m、高 1m 的铅丝石笼,石笼的两端各出绳 1~2 根。石笼入水后,将绳暂拴缚于定位船上。

(3)利用托布船将排布三边上的绳索分别抛投在三侧定位船上,使防冲排布展开于水面上。

(4)定位船上的人员将排布上的牵拉绳拴在定位船上,防止布边入水,再将连接绳与铅丝石笼上的绳拴死。

(5)在统一口令下,同时切断牵拉绳,防冲排布由水上沉入水底。

(6)排布入水沉入河底后,及时用抛石船在排布四周压上铅丝石笼若干,防止出现绳断布跑的局面。

(7)当第一块布铺好后,要探摸布边,并设置布边标志,在进行第二块布铺放时,为了保证和第一块布有足够的搭接宽度,第二块布和第一块布要按搭接 10m 左右铺放。

(8)重复步骤(1)至(7),直至铺放至设计长度。

5.3 管袋充填

管袋充填是利用泥浆拌和机将泥土拌和为设计浓度

---

❶ 张柏山等.黄河防汛科技资助项目(合同编号:97C01):长管袋沉排潜坝技术及应用效果研究.新乡市黄河河务局,1999

的泥浆后,再用混凝土输送泵或电动隔膜泵,通过输送管道充入管袋内。为使管袋内的充填物达到设计浓度,实际充填时可将泥浆拌和机和混凝土输送泵配合使用。

5.4 管袋沉放

管袋充填和抛袋是一项紧密相连的工序。其沉放方法视不同的水流条件可分为三种。

(1)滩面充填法。此方法适用于沉排设计位置在嫩滩上,可在滩面上直接充填。

(2)船与浮筒配合法。此方法适用于沉排设计位置在浅水区,且水流流速小于 1.0m/s。作业时,将一只小船按照设计沉放位置固定,用以牵拉浮桶;浮桶上托带管袋依附于船的一侧,在浮桶上充填管袋,随着管袋内泥浆量的增加,管袋徐徐下沉,浮桶逐渐后退,达到边冲填边沉入的目的。

(3)布兜整抛法。此法适用于深水区。在大船的一侧挂一布兜,兜内放置管袋,充填泥浆。当管袋内充满泥浆扎口后,按统一口令,同步沉放到河底。

5.5 坝体填筑

坝体施工比较简单,工艺不复杂,主要步骤是:

(1)标定坝轴线。在滩岸附近设 2~3 根标桩,且位于一直线上,此直线向水中延长线即为坝轴线。

(2)探测坝轴线附近水下排面高程,确定土袋枕铺放范围及层数。

(3)用长管袋充填泥浆铺水下土袋枕至露出水面。管袋轴线与坝轴线平行。由于坝的前段因水深较大,即床面较低,需土枕较多,可用短枕补填,使之出水,然后再整平。

(4)加高水上土枕,使之顶高、顶宽、边坡满足设计要求。

(5)抛压铅丝石笼。施工时采取措施防止土枕被石块刺破。

(6)坝顶覆盖土料,以利交通。

6 马庄潜坝工程应用实例

6.1 工程河段基本情况

马庄潜坝(图 6-1)位于黄河下游左岸河南省原阳县的马庄控导工程下首,下距花园口水文站基本断面750m。工程所在河段南北堤距 9.8km,河道淤积严重;主溜摆幅大,流路不稳,宽浅散乱,横、斜河出现概率较多,属典型的游荡性河道。据统计,花园口实测多年平均来水量 293 亿 m^3(1919~1997 年);1950~1998 年洪峰流量大于或等于 4 000m^3/s 的洪水共发生 181 次,其中 20 世纪 50 年代 63 次、60 年代 38 次、70 年代 35 次、80 年代 36 次、90 年代 9 次;大于 10 000m^3/s 的洪峰流量共发生 7次,其中 50 年代发生 5 次,70 年代和 80 年代各发生 1次,90 年代未发生一次[1]。80 年代以来,洪水过程多表现为水量小、沙量大、水位高,对河床的演变发展及堤防安全极为不利,造成了河道大量泥沙淤积,大河中常水流路变动频繁;花园口引黄闸脱河现象严重,引水保证率减少,影响郑州市居民生活及工农业用水,制约该地区经济的持续、稳定、健康发展。因此,黄委会于 1990 年批准修

---

[1] 张柏山等.黄河防汛科技资助项目(合同编号:97C01):长管袋沉排潜坝技术及应用效果研究.新乡市黄河河务局,1998

建马庄潜坝,以期稳定花园口险工河势,并增加花园口闸的引水保证率。

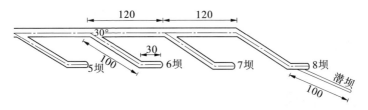

图 6-1　马庄潜坝平面布置图(单位:m)

6.2　主要技术参数

马庄潜坝的主要技术参数与工程所在河道断面的水力特征要素有密切关系。经过对花园口基本断面垂线最大实测平均流速资料、马庄控导河势资料以及1990年河南局根据水位流量关系分析的水流造床流量资料的分析统计,获得了一些满足长管袋沉排潜坝设计参数需要的水力特征要素。具体参数见表6-1。

表 6-1　　花园口基本断面主要水力特征要素

平滩流量 (m^3/s)	滩地高程 (m)	最大垂线平均流速 (m/s)	水流与坝轴线夹角 (°)
4 000	94.0	4.4	30~70

根据表6-1中花园口断面主要水力特征要素资料,运用长管袋沉排潜坝相关技术参数的分析确定方法,马庄潜坝设计的主要技术参数见表6-2。

表 6-2 马庄潜坝主要技术参数

坝顶高程 (m)	坝顶宽度 (m)	坝长 (m)	坝体边坡	坝前排宽 (m)	圆头排宽 (m)	坝后排宽 (m)
94.0	4.0	100	1:1.5	45	45	25

6.3 结构型式

马庄潜坝坝体结构由软体沉排和坝体两部分组成。软体沉排主要由反滤防冲排布和充土长管袋两部分组成。反滤防冲排布位于河床表面之上,主要是防止河道水流对坝体所在河床产生冲刷,确保整个坝体稳定。工程施工过程中,按设计要求铺设了 8 686m² 的坝体保护反滤防冲排布。

长管袋(沉排)位于反滤防冲排布之上,起压重作用,以避免在水流作用条件下,排布产生移动。整个沉排由多个垂直坝体轴线方向的长管袋平行放置(坝头区管袋轴线指向坝头圆心)而组成,每个长管袋中充有浓度 1 193～1 380kg/m³ 的泥浆,管袋直径 0.64m;长度分为 45m 和 25m 两种,其中,45m 管袋位于坝上游,25m 管袋位于坝下游。经统计,共设置管袋 267 个,总长度 8 895m,完成泥浆充量 2 289m³。

坝体建立在沉排上,根据设计要求为梯形断面。考虑到低水位时控导河势、高水位时顶部溢流的特点,坝体用散石堆砌成顶宽 4m、底宽 16m、临背河边坡 1:1.5 的梯形台体。为提高坝体质量,坝体临、背坡及顶部用铅丝笼进行围护,增加了坝体的抗冲能力,保证了洪水溢流时坝体安全。据统计,坝体施工共抛投散石 0.54 万 m³,完成铅丝笼围护面积 1 840m²。马庄潜坝坝体断面结构型式见图 6-2。

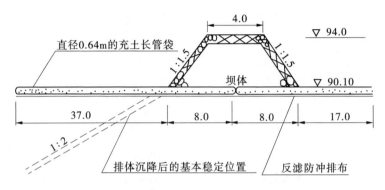

图 6-2 马庄潜坝坝体断面结构型式(单位:m)

6.4 工程施工

马庄潜坝修建于 1990 年 5 月 4 日～7 月 24 日。排布施工自 1990 年 5 月 21 日开始,6 月 11 日结束,历时 21 天。施工期间,花园口流量 910～1 210m³/s,相应流速为 2.03～2.51 m/s,潜坝处水深为 1.8～4.2m,最大流速为 2.87 m/s。

由于排布在动水中铺放缺乏经验,几经挫折,方取得成功。在施工过程中,按坝轴线近三分之二坝长的排布需在主流深水槽中铺放,水深流急,河床高低不平,排布面积大,加之受天气、水文及现场人员操作不熟练等原因影响,四次铺布均受不同程度的挫折。第一次、第二次铺布时,排布落水后即被冲至下游。第一次失败的主要原因有以下几个方面:①水文水力方面:水流经过定位船,在船上下游形成一水位差,造成下游水流集中,流速加大,为 2.61~2.87m/s;边滩与深槽水深相差大,排布落水后留绳松紧不一致,受力不均匀,细绳间距大,受拉强度达不到要求,加之抛石压布船不能及时到位,排布落水后不能及时压上石笼,造成绳断布跑。②技术及指挥方面:号令不明确,指挥不统一。技术工人较少,现场操作不熟练,临场手忙脚乱,出现问题不知如何处理,船只配合不一致。第二次铺布吸取了第一次的经验教训,改变了布和笼连接用绳的方案,改用两股铅丝,但因没有考虑到,小木橛和铅丝受拉强度大,而受剪强度小,现场时间紧,不能用钳子拧得很紧,且操作不方便,造成 70% 的铅丝被拉直脱笼,25% 被剪断,5% 是铅丝与石笼接合处的绳受拉强度低被拉断。第三、四次铺布时,布平稳地沉入河底,也及时地压上石笼,但第三次铺布时排布被撕裂冲走 4 幅,第四次铺布时排布被撕裂冲走 9 幅,失败的主要原因一是两幅布(一幅 3.8m×70m)接缝处加工薄弱,二是河床深度不一,边滩绳拉得紧,布入水后,压石时边滩与深槽的排布受力不均而导致失败。

7 马庄潜坝应用效果分析

为分析潜坝的防洪效果,掌握运用过程中潜坝基础变化特点,研究其低水位时控导河势,高水位时泄洪溢流的作用条件,分别于 1990 年 8 月,1992 年 9 月和 1998 年 12 月对该潜坝排布进行了三次探测。断面设置原则是,以潜坝轴线方向上每隔 15m 设一垂直轴线探测断面,圆头区间距不超过 15m。共布设探测断面 11 个,其中,坝体直线段部分断面 5 个,即 1 号~5 号断面;圆头部分断面 6 个,即 6 号~11 号断面(图 7-1)。三次探测均沿相同断面进行,资料具有可比性。

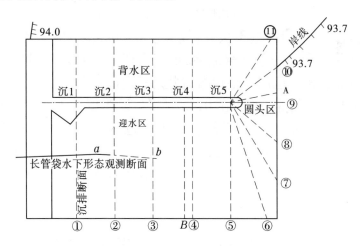

图 7-1 马庄潜坝工程原型观测断面平面布置图

7.1 防洪效果

马庄潜坝运行过程中各特征值的变化分析,以1990年8月首次探测资料为最基本资料,通过运用1994年、1998年探测资料与基本资料进行对比,分析研究其变化特点。

7.1.1 潜坝附近河床演变特征

通过第三次探测资料与第一次探摸资料的对比分析,潜坝迎水区、背水区和圆头区河床床面(非沉排)皆呈现了不同的变化特点。

7.1.1.1 背水区

从各断面资料对比情况看,原河床高程与运行后高程有差异,但相差不大,一般介于0~0.6m。从二者相对位置来看,1号至3号断面,现河床高于原河床,表明该范围经过8年运用后呈现微淤状态;而4号至5号断面现河床低于原河床,平均在0.4m左右,说明该范围在运用过程中呈微冲状态。据统计,98%的范围冲淤变化在0.4m左右。这表明背水区虽有冲淤变化,但河床处于微弱变化状态之中。总体上现河床基本呈水平状态,见图7-2(a)、(b)。

7.1.1.2 迎水区

该区域除1号断面呈完全冲刷特征之外,其余断面呈现淤积冲刷并存的特点。具体演变规律是:断面1现有河床皆低于原河床,二者高程平均差1.54m;其余断面

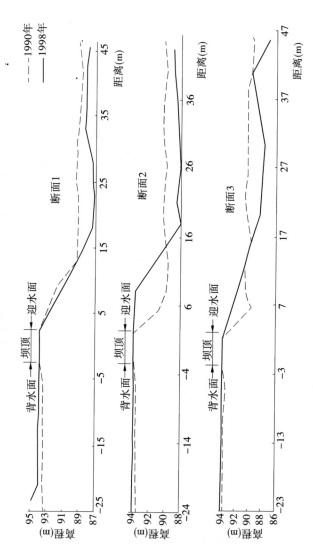

图 7-2(a)　马庄潜坝不同断面河床冲淤图

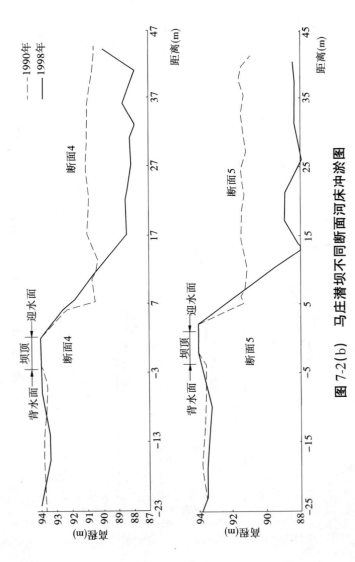

图 7-2(b) 马庄潜坝不同断面河床冲淤图

局部河床呈现淤积,而大部分河床仍呈冲刷特征。淤积和冲刷区域沿坝根到坝头方向呈现如下4个特点:

(1)淤积区域的水平距离呈由大变小的趋势。据统计,该区域垂向宽度由断面2的13.6m,逐渐减少到断面5的7.2m。

(2)淤积区域的最大淤积厚度及其出现的位置呈现逐步减小和逐渐向坝体靠近的规律。据统计,从断面2至断面5,最大淤积厚度由3.7m减少为0.8m;而最大淤积厚度出现位置则由距坝体水平距离的8.0m逐步减少为5.1m。

(3)冲刷区域范围和冲刷幅度呈现范围变大和幅度增加的特点。具体数值变化范围为:冲刷区垂向宽度由30.9m逐渐增加为37.0m,冲刷区宽度占整个迎水面排体宽度的百分比由69.8%提高到84.0%;而平均冲刷深度则从断面1的1.54m增加到断面5的3.39m。

(4)坝体迎水面坡度变化,除断面1呈现坡度大于原河床坡度之外,其余坝体坡度皆小于相应原坝体坡度,且坝体坡脚位置水平距离较原坡角位置水平距离明显增加。据统计,原坝体坡度最大1:1,最小1:1.5,而运用后坡度最大1:1.8,最小1:3.3;坡脚水平位置:原河床1号至5号断面最大为9.0m,最小为5.1m,平均为6.6m;而现河床最大为20.0m,最小为13.0m,平均为17.2m。具体数据参见表7-1和图7-2(a)、(b)、(c)。

从两次探测结果绘制的坝前冲刷坑形态图7-3、图7-4可以看出,与没有护底的传统丁坝相比,坝前冲刷坑有外

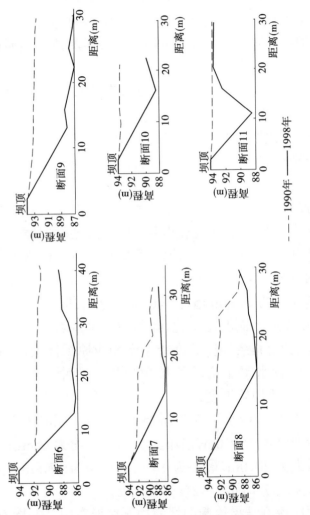

图 7-2(c) 马庄潜坝不同断面河床冲淤图

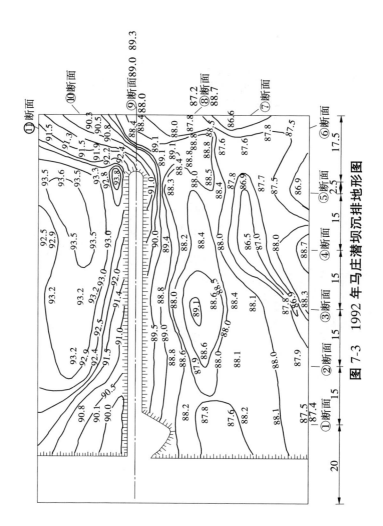

图 7-3 1992 年马庄潜坝沉排地形图

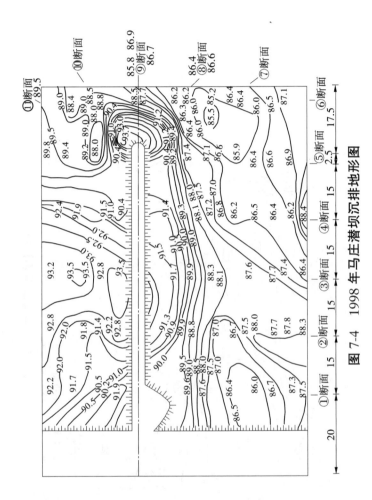

图 7-4 1998 年马庄潜坝沉排地形图

推趋势。

表 7-1　　马庄潜坝迎水区河床演变特征分析统计

	项目	断面 1	断面 2	断面 3	断面 4	断面 5	平均
淤积区	距坝体距离(m)		13.6	13.2	11.0	7.2	
	最大淤积厚度(m)		3.7	3.0	1.6	0.8	
	相应位置(m)		8.0	6.5	7.5	5.1	
冲刷区	冲刷范围(m)	45	31.4	31.8	34.0	37.8	
	冲刷厚度平均值(m)	1.54	1.75	2.09	2.79	3.39	
	占整个区域(%)	100	69.8	70.7	75.6	84.0	
坡度变化	原河床坡度	1:3	1:1	1:1	1:1.5	1:1.19	
	相应坡脚位置(m)	9.0	5.1	6.5	7.3	5.1	6.6
	现河床坡度	1:2.5	1:2.7	1:3.3	1:2.7	1:1.8	
	相应坡脚位置(m)	18.0	18.0	20.0	17.0	13.0	17.2

7.1.1.3　坝头区

该区域原河床与现河床的相对位置关系整体上而言,经过多年运用,均呈现冲刷特征。经分析,其相对位置,从上跨角即断面 6 到下跨角即断面 11,河床高程呈相对由高到低、再由低到高的变化规律,即冲刷深度由小到大而后又逐步变小的特点,上跨角断面 9 即大约坝轴线为其分界位置。具体变化特征除断面 9、10 呈单一冲刷特性外,其余断面尽管总体呈冲刷特性,但沿各断面向河中推进,根据其河床变化程度可分为离坝较近的相对变化较大的激变区和距坝较远的冲刷微变区。激变区从断面 6 到断面 11 随着断面的移动,冲刷区域的水平范围逐步减小,由断面 6 的 20.0m 逐步减少到断面 11 的 5.0m;而微变区的范围则逐步增大,由断面 6 的 7.0m 增大到断面 11 的 13.0m。激变区河床冲刷最大深度从断面 6 到断面 8 呈增加趋势,而从断面 8 到断面 11 则呈递减变化;平均变化幅度断面 6 到断面 9 呈递增状态,断面 9 到断面 11 则呈递减变化。据统计,平均变化幅度由断面 6 的 5.26m 增加至断面 9 的 5.80m,又减少到断面 11 的 2.8m。微变区的平均冲刷深度随着断面的推进呈单一递减趋势,愈向下游冲深越小,且变率越小。

坝头区坝体坡度变化特征:现坝体坡度除断面 6 与原坝体坡度相近外(现坡度 1:1.5,原坡度 1:1.4),断面 7~11 现有坡度均大于原坝体坡度,而且现河床与原河床坡度一样,在同一基准条件下,坡度从坝根到坝头皆随断面前移逐步变缓。坡脚位置则从坝根到坝头随着断面变化先逐步增大(断面 6~8),而后又逐渐变小。详见表 7-2。

表 7-2　　　　坝头区河床变化分析统计

项目		断面 6	断面 7	断面 8	断面 9	断面 10	断面 11
断面平均厚度(m)		4.35	3.78	4.32	5.6	4.38	1.17
激变区	变幅(m)	13~33	14~23	15~23	13~32	16~22	11~16
	最大值(m)	5.3	6.7	6.2	6.3	5.4	4.3
	发生位置(m)	18	16.7	15	25	16	11
微变区	范围(m)	33~40	23~31	23~29			16~29
	平均厚度(m)	3.34	2.44	2.65			0.45
坡度变化	原坡度	1:1.4	1:2.8	1:2.5	1:10	水平	水平
	现坡度	1:1.5	1:1.6	1:1.7	1:2	1:2.5	1:1.6
	坡脚位置(m)	13	14	15	13	12	11

上述分析表明:圆头部位河床演变随着断面位置的移动,呈现不同特征。从现、原河床变化情况分析,以断面9为界可将其划分为两个区域。断面6～9构成第一区,断面9～11构成第二区,这两个区域河床变化特征呈相反的变化趋势,现坝体坡度均大于原坝体坡度,坡脚位置以断面8为界,其左右区域皆呈递减变化趋势。

7.1.2　沉排变化特性

施工期沉排位于原河床之上,施工完毕后,受其影响沉排所在河床及附近区域水流条件发生变化,这种变化引起局部河床以及沉排相对位置、坡度等方面的相应调整,并逐步使沉排达到稳定的相对平衡状态,以满足坝体稳定,发挥控制河势的需求。

7.1.2.1　沉排相对位置变化

总体上,第二次探测的沉排位置与首次相比,除坝头区断面9～11有较明显沉降外,其余断面沉排位置有一定的起伏变化,但综合平均来看,沉排位置基本上变化不大。

第三次探测的沉排位置与首次相比,背水区断面1、3无显著差异,其余背水区、迎水区和坝头区沉排皆有明显沉降发生,但不同区域、不同断面的沉降量存在差异。综合平均而言:圆头部位沉降幅度最大,平均3.27m,其次为背水区,平均1.93m,最小属迎水区,平均1.02m,其差异原因是由不同区域水沙作用条件引起的。详见表7-3及图7-5。

表 7-3 　　　　　　　　　沉排相对位置分析统计

断面编号	背水区			迎水区			圆头区		
	现高程 (m)	原高程 (m)	差值 (m)	现高程 (m)	原高程 (m)	差值 (m)	现高程 (m)	原高程 (m)	差值 (m)
1	91.64	91.43	0.21	86.81	88.09	−1.28			
2	92.17	92.6	−0.43	88.05	88.27	−0.22			
3	93.27	92.74	0.53	87.52	88.18	−0.66			
4	91.47	92.92	−1.45	86.64	88.19	−1.55			
5	89.24	93.15	−3.91	86.76	88.13	−1.37			
6							86.26	88.01	−1.75
7							85.97	88.4	−2.43
8							86.34	89.22	−2.88
9							86.83	91.08	−4.25
10							88.27	92.55	−4.28
11							88.81	92.84	−4.03
平均	91.56	92.57	−1.93*	87.15	88.17	−1.02	87.08	90.35	3.27

注: * 号数字仅为沉降量平均结果。

7.1.2.2 沉排的坡度变化

沉排的坡度变化取决于水沙条件和沉排位置状态,而沉排原始位置主要受原始河道河床影响。

根据首次探测结果,沉排初始位置除背水区呈水平状态外,其余区域的断面受原始河床地形条件影响,还没有形成比较有利于水沙运行的适宜坡度。具体表现在同一断面沉排出现了一定幅度的连续起伏现象。第二次探测结果表明,无论背水区、迎水区,还是圆头区,尽管其沉排仍存在局部起伏现象,但其范围增大且变化幅度明显减少,以至于同一断面一定范围内已形成了先下降后上

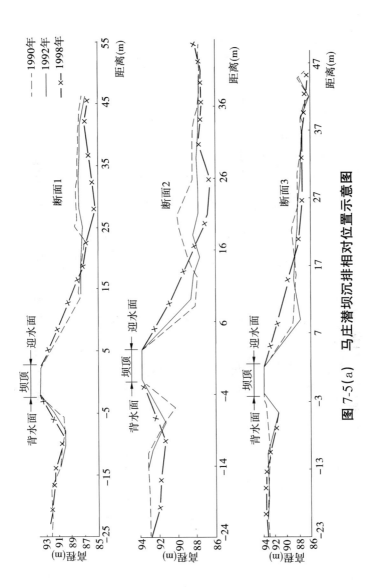

图 7-5(a) 马庄潜坝沉排相对位置示意图

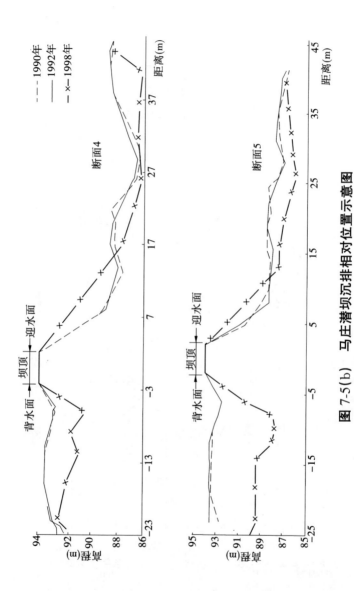

图 7-5(b) 马庄潜坝沉排相对位置示意图

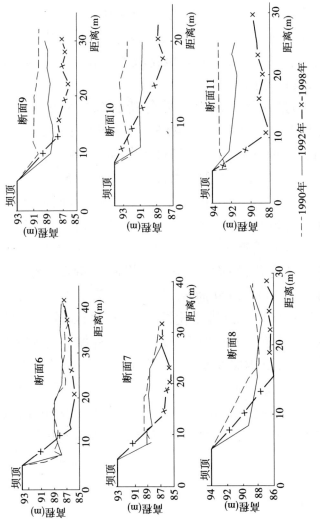

图 7-5(c) 马庄潜坝沉排相对位置示意图

升的上凸型沉排状态。各区域沉排变化特点如下：

(1)背水区。该区域的断面1～5形成了以坝体坡脚为最低点的单一上凸型特征，但凹陷的水平范围较小。经统计，其平均范围为10.9m，如扣除坝体坡脚长度，其范围一般在5.0m左右。沉排坡度变化最大1∶4.5，最小1∶15，具体数据见表7-4。

(2)迎水区。从该区域各断面沉排变化来看，断面1～2呈单一上凸型变化，断面3～5出现了双凸型变化区且随着断面前移双凸型特征愈加明显，水平范围基本相等，垂向变幅相差不大。坡度最大为1∶6.5，最小为1∶34。

(3)圆头区。沉排坡度变化呈现部分断面出现双凹型和部分断面单一凹型或平顺型特征，且断面坡度比较平缓。该区域断面6呈现双凹型变化，断面7、8、9、11呈单一凹型变化，断面10呈单一平顺型特点。经计算，最大坡度为1∶10.3(断面8)，最小坡度为1∶15(断面7)。

第三次探测沉排变化，无论是背水区、迎水区还是圆头区，皆呈单一上凸型。其坡度变化有如下三个特点：

第一，沉排坡度变化范围扩展至整个沉排所在区域。

第二，除背水区断面1～3外，其余断面最低点高程均处于前两次探测高程之下，平均相差1.94m；最低点水平位置，66.7%的断面远于前两次沉排探测位置，平均相差4.37m；而33.3%的断面近于前两次沉排探测位置，平均相差3.90m。

第三，沉排坡度变化起始点位置均远于前两次探测的起始位置；沉排坡度较第二次探测结果更加平缓。经

表 7-4

沉排坡度变化分析统计

区域	项目 断面	第二次探摸(2)(m)				第三次探摸(3)(m)					(3)~(2)(m)		
		范围	深度	高程	位置	范围	深度	高程	位置	坡度	范围	高程	位置
迎水区	1	18~33	1.2	88.0	24.0	18~44.5	1.2	86.7	26.0	1:22	11.5	-1.3	2.0
	2	16.5~30.4	0.6	87.8	24.5	18~45	2.0	85.6	28.4	1:35	13.1	-2.2	3.9
	3	9~33	0.7	87.9	24.0	20~45	0.9	87.6	30.0	1:27	-9	-0.3	6.0
	4	17~39	2.0	86.5	29.0	17~46	2.3	86.1	27.0	1:13	7.0	-0.4	-2.0
	5	19~32	2.0	86.6	28.0	13~40	1.5	85.9	26.0	1:18	14	-0.7	-2.0
背水区	1	2~27	2.0	90.0	8.0	2~23	1.9	90.1	9.0	1:11	6.0	0.1	1.0
	2	2~14	1.9	91.3	8.0	2~24	1.5	91.3	10.3	1:15	10.0	0	2.3
	3	2~11	2.0	91.6	5.0	2~23	0.7	92.7	10.5	1:30	12.0	1.1	5.5
	4	2~12.5	0.7	92.9	5.0	2~19	2.1	90.3	6.0	1:15	6.5	-2.6	1.0
	5	2~10	1.1	92.5	6.0	2~25	1.2	88.6	10.0	1:18	15.0	-3.9	4.0
圆头区	6	18.4~41	1.5	87.5	26	13~40	1.7	85.5	21.0	1:16	4.8	-2.0	-5.0
	7	11~20	0.6	88.1	11	14~31	1.4	85.2	20.0	1:12	8.0	-2.9	9.0
	8	8.5~28.5	2.0	87.2	25.5	15~29	0.7	86.1	22.0	1:20	-6.4	-1.1	-3.5
	9	10~30	0.9	88.4	13.0	13~30	1.8	85.8	22.0	1:9	-3.0	-2.6	9.0
	10	水平				16~22	0.7	87.7	18.0				
	11	14~25	1.6	91.4	20.0	11~29	1.4	88.0	13.0	1:13	7.0	-3.4	-7.0

计算,最大坡度为 1:9,最小坡度为 1:35。其中介于 1:10~1:15 的断面所占比例为 30%,介于 1:15~1:35 的比例为 66.7%。详见表 7-4 和图 7-5。

从上述沉排坡度的变化分析可知,马庄潜坝沉排坡度变化由原始比较复杂的多峰型逐步转化为有规律的双凸型,又由双凸型转化为单凸型。这一演变过程表明:目前沉排已处于比较稳定的发展状态之中,但仍未达到设计坡度 1:2 的要求。

7.1.3 高水位坝顶溢流的冲淤变化

马庄潜坝与传统丁坝相比,其重要特点之一就是潜坝发生超设计洪水时,坝顶溢流而不被破坏。据统计,工程运行期间,共经历 13 次不同流量级洪水,流量变化范围为 4 000~7 600m³/s。其中,发生超坝体设计洪水 12 次,最大流量 7 600m³/s,部分坝段靠水无溜,因而迎水区坝体河床呈现局部淤积,且随着断面前移,淤积范围逐渐减少,坝头区不发生淤积或淤积较少。洪水越过坝体后,背水区产生局部冲刷;冲刷区下游为河滩地,糙率较大,随着洪水过程回落,流速变缓,大量泥沙淤积于背水区域,形成了大范围的泥沙淤积区。同时,受水沙作用条件和地形变化特征的影响,溢流的水流逐步回归河槽,溢流过程即将结束时,水流减小,流速减缓,能量减少,仅在坝体背水区附近向河心运动,从而在背水区形成了坝根区域淤积厚度大、圆头区淤积厚度小的河床特征。经统计,断面 1、5 淤积厚度相差 0.78m;而至断面 11,则形成一个水平距离 18m、深 5.5m 的倒三角形过水断面。这是溢流后洪水归槽的结果。随着溢流次数增多,其余溢流过程均在首次溢流后的河床特征上进行演变调整。其差异仅表现在迎水区坝体淤积量以及背水区淤积范围及量级大小上。

圆头区为水流作用激烈区,超坝体设计洪水量大,流速快,对坝体产生的冲力较大。然而由于潜坝结构特点,可使部分水流穿越坝顶,缓冲了快速行进水流,降低了部分冲击能量,坝体基础又有沉排保护,一般情况下不易形成冲刷坑。尽管在坝头区不产生冲刷坑,但沉排经过多次运用,发生了不同程度的沉降,河床呈单一的冲刷状态。经计算,坝头区平均下降 3.27m,最小沉降量 1.78m,最大沉降量为 4.28m。

溢流对坝体有破坏作用。坝顶溢流过程中,坝体不同部位的变化是适应洪水溢流过程所做出的合理调整,体现了坝体发挥作用的过程。尽管这一过程是动态的、相对稳定的,但这一过程充分显示了潜坝的优越性和适应不同洪水过程的溢流泄洪功能。

7.2 低水位控导河势效果

马庄潜坝所在河段南北堤距 9.8km,河槽宽 2 900m。20 世纪 80 年代以来,洪水过程多表现为水量小、沙量大、水位高,对河床的演变、发展及堤防安全极为不利,造成了河道大量泥沙淤积,大河中常水流路变动频繁;"横河"、"斜河"出现概率增多。马庄工程靠河不稳,造成对岸花园口引黄闸脱河现象严重,引水概率减少,大大影响了工农业生产。

潜坝建成后,在一定程度上缩窄了河道中常水过流断面。由于存在这种结构特点,工程在运用过程中当行进的水流与坝体遭遇时,除一部分水流与坝体正面发生作用外,另外一部分水流可穿越坝顶,从而减小了水流与坝体碰撞时产生的冲击力,迎水面的壅水高度降低,涌波范围明显减小甚至基本不存在。水流与坝体散石多次碰撞,增加了运行长度,降低了流速,削弱了能量;同时,由于坝体下游为泥沙淤层,渗水能力明显减少。在此两种因素作用下,水流经过逐步调节,改变了原始运行路线向坝头区方向运动。该部分水流出坝体后与上游坝体作用后的水流汇合,向河心方向推进,从而限制了主槽的展宽,降低了主槽摆动幅度。潜坝在水流运行过程中,通过以上方式逐步消耗了巨大的水流能量,且坝体又有沉排护基,因而,潜坝在调节河势时,不像传统丁坝那样,以在坝前形成冲刷坑的方式来消耗巨大的水流能量,而是通过逐步减少其水流速度和调整其方向,达到消耗能量的目的。避免了传统坝体改变水流方向使坝体容易出险的缺点;稳定了河势流路,削减了主溜摆动幅度。

从1991~1998年花园口河段汛前、汛后河势图分析,北岸北裹头工程至南岸保合寨工程之间河势散乱,主溜摆幅较大。从来水方向上看,上游来水基本上有北路(北裹头工程)、中路和南路(保合寨工程)三个方向。北路:以西北东南方向为主,但依据工程着河位置不同存在差异;一般分为沿北岸和从北岸走中路再沿南岸运行。

中路:以西向东或西北东南向为主,主溜先居中路,然后逐渐向南岸靠近,个别沿中路转北岸,待形成弯道后再折向南岸。南路:水流受南岸工程调节,以西南东北向和西北东南向为主,多数河势向北发展,运行至北岸马庄工程,受其影响折向南岸,入花园口险工。经统计,北路、中路、南路所占比例分别为:11.1%、50%、38.9%;主溜摆幅介于1 750m与3 250m之间。三种流路只有当南岸来水经保合寨工程作用后,马庄工程才可能起到控导河势作用;而北岸和中路来水,马庄工程着河率极低,仅为11.1%左右,一般条件下不发挥作用。经过潜坝控导后的南岸来水,其摆幅减少,且满足花园口闸着河引水要求,例如1993年汛前本河段河势即属此种河势,参见图7-6。由此可知,马庄潜坝低水控导河势效果明显。

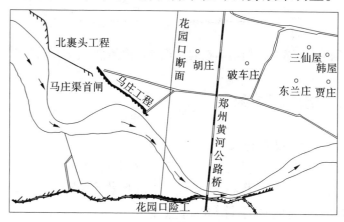

图7-6 1993年花园口河段原型河势

实际上,马庄工程当属花园口河段河道整治工程的龙头工程,如果在中小水期,马庄工程靠溜部位适宜,潜坝的送溜能力是非常强的。图 7-7 为河工模型试验结果,只要马庄工程的着溜部位上提到 1 号坝上下,经马庄工程的控导,潜坝送溜能力即得以充分体现,花园口工程的靠河部位即可达到长期的相对稳定,对其以下河势的稳定发展是非常有利的。

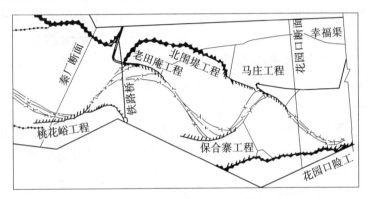

图 7-7 防洪规划期间花园口至夹河滩河段模型试验河势

7.3 抗冲刷效果

抗冲刷效果是反映坝体结构设计是否合理的一项重要指标。它主要表现在工程靠河着溜受冲条件下,坝体结构的适用性以及抢险次数、抢险料物用量的多少。马庄潜坝结构的适用性(即特点变化)已在前文进行了介绍。为比较客观地评价马庄潜坝的抗冲效果,将该坝体结构与传统结构坝的靠河情况、出险次数、抢险料物用量,以及 1985 年以来黄河下游河道工程中利用土工织物修建的坝体结构的险情进行对比。尽管不同结构丁坝受修建时间及地点限制,靠河着溜次数存在差异,但坝体结构险情特点却反映了该结构的实际应用效果。

表7-5、表7-6统计了马庄潜坝、大功14号、15号传统结构柳石坝以及武庄控导工程1~5号传统结构丁坝靠河期间出险、抢险情况。

表7-5 马庄潜坝与传统结构坝险情对比统计

工程名称	坝号	修建时间(年)	出险次数	抢险用石量(m³)	根石加固用石量(m³)	投资(万元)	统计时段(年)
马庄		1990	7	628		7.56	1990~1999
大功	14	1990	22	4 242	未统计	50.90	1990~1994 1995年以后未靠河
	15	1990	21	2 812	未统计	33.74	
	合计		43	7 054		84.64	
	平均		21.5	3 527		42.32	
武庄	1	1995	20	3 312.5	1 800	61.35	1995~1999
	2	1995	14	1 722	1 800	42.26	
	3	1995	15	1 967	1 800	45.2	
	4	1995	14	1 639	1 800	41.27	
	5	1995	24	2 881	1 800	56.17	
	合计		87	11 521.5	9 000	246.26	
	平均		17.4	2 304.3		49.25	

表 7-6   马庄潜坝、武庄、大功丁坝历年用料统计

工程名称	时间(年)	出险次数	抢险用石料(m³)	根石加固用石量(m³)	投资(万元)
马庄潜坝	1990	1	72		0.3
	1992	3	80		0.5
	1998	2	346		4.66
	1999	7	130		2.1
	合计	13	628		7.56
	坝次平均		89.7		1.08
大功14号、15号坝	1990	4	1 221		14.65
	1991	2	98		1.18
	1992	6	1 190		14.28
	1993	4	597		7.16
	1994	27	3 948		47.38
	合计	43	7 054		84.65
	坝次平均		164		1.97
武庄1~5号坝	1995	36	5 994		71.93
	1996	23	2 482.5		29.79
	1997	2	410	5 000	64.92(60)
	1998	22	2 290	2 500	57.48(30)
	1999	4	345	1 500	22.14(18)
	合计	87	11 521.5	9 000	246.26(108)
	坝次平均		132.4		2.83

注:( )中数字为根石加固投资。

通过对马庄潜坝与传统结构丁坝险情的对比分析,二者之间具有如下四方面的特点:

(1)马庄潜坝出险次数较传统坝体明显减少。截至1999年9月,马庄潜坝靠河的10年间共出险7次;而同

年修建的大功 14 号、15 号坝 1990～1994 年靠河期间共出险 43 次;1995 年修建的武庄 1～5 号坝,1995～1999 年共出险 87 次。从单坝出险次数分析,大功 14 号、15 号坝分别出险 22 次和 21 次,平均 21.5 次;武庄 1～5 号坝出险最多的为 5 号坝共 24 次,2 号、4 号坝最少,均为 14 次,平均 17.4 次。综合单坝出险情况,传统坝体的出险次数为马庄潜坝的 2.78 倍。

(2)传统结构坝抢险料物用量和费用远远大于马庄潜坝。经统计,马庄潜坝 7 次抢险共用石料 628m^3,铅丝1 132kg,总投资 7.65 万元;而大功 14 号、15 号坝和武庄1～5 号坝抢险用石料分别为 7 054m^3、11 521.5m^3;总投资分别为 86.64 万元和 138.26 万元。从单坝抢险石料用量和投资情况看,大功 14 号、15 号坝用石料和投资分别为4 242m^3、50.91 万元和2 812m^3、33.74 万元;而武庄1～5号坝石料用量最多的是 1 号坝,为3 312.5m^3,最少的是 4 号坝,为1 639m^3,平均为2 304.3m^3;相应投资费用分别为 39.75 万元和 19.67 万元,平均 27.65 万元。根据上述数据,综合平均计算,传统坝体结构的抢险用石料和投资分别为马庄潜坝的 4.64 倍和 4.63 倍。

(3)传统结构坝出险规模大于马庄潜坝。从单坝次平均抢险用料看,马庄潜坝用料 89.7m^3;大功 14 号、15号坝用石 164.0m^3;武庄 1～5 号坝用石 132.4m^3,综合平均 148.2m^3。就单坝次抢险最大用石料量分析,马庄潜坝最大一次用石料量为 250m^3;而大功最大一次用石料量为737m^3,武庄最大一次用石料量为 670m^3,平均 703.5 m^3,

为马庄潜坝最大用石料量的 2.8 倍。

(4)潜坝除了抢险外,不需要进行根石加固;而传统结构坝为了确保坝体稳定,减少出险,必须进行根石加固工作。武庄 1～5 号坝 1997～1999 年共加固根石 9 000 m³,投资 108 万元,平均每坝根石加固量达 1 800m³,投资 21.6 万元。仅根石加固一项就比潜坝多增加投资 21.6 万元。详见表 7-5、表 7-6。

表 7-7 为新型结构丁坝险情统计表。由表 7-7 可以看出,尽管马庄潜坝抢险次数较多,但抢险总用石料量仅为 628m³。除 1998 年 11 月 30 日抢险用石料较多(250m³),占 39.8%外,其余 6 次皆在 100m³ 以下,最少仅

表 7-7　　　　各种结构丁坝抢险情况统计

工程名称	修建时间(年)	工程结构	靠溜年数(年)	出险次数(次)	用柳(万 kg)	用石(m³)	抢险总投资(万元)
马庄潜坝	1990	长管袋、散石	10	7		628	7.56
大功 12 号坝	1985	编织袋沉排	7	6	9.20	512	8.16
花园口东大坝	1988	透水桩坝	6	0			0
禅房 34 号坝	1988	长管袋沉排	8	6	14.99	1 129	16.41
九堡 134 号坝	1990	铅丝笼沉排	4	4	7.86	845	13.23
马渡 85 号坝	1991	网坝	4	0			0
禅房 37 号坝	1992	褥垫沉排	3	9	62.14	1 650	31.92
保合寨 37 号坝	1993	柳石枕沉排	1	2	11.50	984	15.13
保合寨 24 号坝	1995	挤压块沉排	0	0			0

注:马庄潜坝、禅房 37 号坝统计至 1999 年,其余至 1995 年。

为 40m^3。从抢险投资看,除花园口透水桩坝、保合寨 24 号坝靠河时间短有待于进一步验证外,其他类型坝体结构的抢险投资均高于马庄潜坝抢险投资。其中,投资最高达 31.92 万元,最低为 8.16 万元。从出险次数上看,马庄潜坝为 7 次,而禅房 37 号坝出险次数高达 9 次,其他工程如禅房 34 号坝、大功 12 号坝出险次数为 6 次,与马庄潜坝接近。

综合上述分析表明:马庄潜坝与传统坝相比,不仅具有出险少、抢险投资少、便于日常管理等优越性,而且在新型坝体结构中也具有较好的抗冲刷效果。

7.4 引水效益

增加花园口引水保证率是马庄潜坝修建的目的之一。对 1991～1998 年花园口上游北裹头工程至下游双井工程之间河势情况统计分析,北路来水北裹头工程着溜位置不同,南岸保合寨工程有可能着河,如河势走北路或中路,保合寨脱河可能性较大,马庄工程着河可能性较小,而花园口着河率仅为 50% 左右。中路来水,若折向保合寨工程使其着河北挑,则马庄工程可能着河,花园口着河;一般情况下,即使保合寨工程和马庄工程均脱河,但中路来水一般向南岸,花园口着河可能性较大;经统计,此种情况下保合寨工程着河率为 44.4%,马庄着河率为 22.2%,花园口着河率为 88.9%。南路来水,保合寨工程着河可能性较大,为 71.4%,受其影响河势北移,马庄工程着河率则为 100%。这表明:南路来水受保合寨工程和马庄工程控导后,河南岸花园口险工着河概率较大,个别情况走中路后又折向南岸使花园口着河。

上述分析表明,如中路和南路来水马庄工程着河,则花园口必然着河。根据条件概率统计计算,马庄潜坝控导河势可使花园口着河率增加 37.5%。具体情况详见表 7-8。

表 7-8　　　　花园口河段工程靠河状况统计

年份	时间	来水流路	保合寨着河情况	马庄着河情况	花园口着河情况
1990	汛前	北路	脱河	脱河	脱河
	汛后	北路	脱河	脱河	着河
1991	汛前	中路	部分着河	脱河	着河
	汛后	中路偏南	着河	脱河	着河
1992	汛前	南路	着河	着河	着河
	汛后	南路	着河	走中路脱河	着河
1993	汛前	中路	着河	着河	着河
	汛后	中路	脱河	脱河	着河
1994	汛前	南路向中	脱河	脱河	着河
	汛后	中路	脱河	脱河	着河
1995	汛前	中路	脱河	脱河	着河
	汛后	中路	脱河	脱河	着河
1996	汛前	南路	脱河(折向中路)	脱河	着河
	汛后	中路	着河	脱河	着河
1997	汛前	中路	脱河	脱河	着河
	汛后	南路	着河	着河	着河
1998	汛前	南路	着河	着河	着河
	汛后	南路	着河	着河	着河

花园口引黄闸是花园口灌区引水口之一,经对花园口引黄闸 1983~1994 年引水量统计,其平均年引水量为 7 393.7万 m^3。按目前黄河水费计征标准按 0.04 元/m^3 计算,则仅水费年收入可增加 110 万元;如果按灌溉效益进行分摊则其效益达 572.76 万元。

8 马庄潜坝的技术经济可行性分析

8.1 技术可行性

8.1.1 抗浮稳定

护底沉排是坝体安全稳定的基础。在马庄潜坝工程运用过程中护底沉排经受了不同来水来沙条件的作用。为充分发挥沉排的护底护基作用,沉排的长管袋中充填泥浆的浓度必须超过水体密度且满足一定条件时,才能使排体在不同水流作用条件下不被掀起和悬浮。根据南京水利科学研究院在长江上所做的沉排稳定试验,在流速3.0m/s情况下,排体压重不小于$100kg/m^2$即可使排体达到稳定状态。黄河水流条件比较复杂,尤其是丁坝附近,流速大且变化剧烈;正流、回流、螺旋流交替出现,对沉排稳定非常不利。根据黄河水流特点,河南黄河河务局分析认为:黄河上沉排压载标准满足$300\sim350kg/m^2$即可达到稳定要求。为此,沉排长管袋内充填泥浆浓度应控制在$1\,100\sim1\,300\,kg/m^3$,要求长管袋直径$0.6\sim1.0m$。根据马庄工程应用经验,沉排长管袋直径0.64m,管内充填泥浆浓度$1\,193\sim1\,380kg/m^3$,满足沉排压载指标,具备稳定抗悬浮条件。

8.1.2　抗滑稳定

沉排受河道水流作用可产生局部沉降,从而使沉排坡度变陡。在沉排自重作用下,管袋必然产生斜向的滑动力;如管袋与排布之间摩擦力及土体与管袋之间摩擦力大于滑动力,则沉排可处于稳定状态;否则沉排将产生失稳破坏乃至影响坝体稳定。

若沉排稳定坡度按 1:2 设计,潜坝坡脚外管袋全长 37m,管袋布与管膜布、坝体与管袋布摩擦系数取 0.364,经计算,单个管袋的下滑力,管袋与排布间摩擦力以及水平方向沉排与坝体、排布的摩擦力分别为 14.9kN、10.8kN 和 66.5kN。经过矢量合成分析,后两项抗滑力为 76.2kN,远大于滑动力的水平分力 13.3kN,因而沉排在水下满足抗滑稳定要求,不会从坝基下抽出。

8.2　经济可行性

工程经济分析包括经济效益、社会效益和环境效益三部分。潜坝工程投入运用后,其效益直接体现为社会效益和环境效益;经济效益则要根据工程遭遇破坏性洪水时,坝体保护区范围产生的损失来进行确定。目前条件下,该项资料比较缺乏,但可以通过采用潜坝与传统坝体的投资、运行管理费相对比的方法来间接分析其经济可行性。

据统计,马庄潜坝总体净投资 83.20 万元;而同期、相同条件下修建类似传统柳石结构丁坝投资约需 40.6

万元。从一次性投资上看,长管袋沉排潜坝大于传统柳石结构丁坝;但潜坝建成后一般情况不需要进行抢险和日常维护,特殊情况下,需要补充一定量石料。经过对该坝 1990～1999 年出险情况统计,补充石料投资共计 7.26 万元。而传统柳石结构坝体需经长期维护和多年抢险才能达到稳定状态。经分析,一般情况下当传统坝根石深达 15m 时,才基本处于稳定状态。根据抢险资料统计,类似传统坝体达到稳定状态前,平均需投资 34.9 万元;日常管理费用年平均 1.5 万元,主要包括坝体日常维护、雨毁修复和管理人员工资等。

按上述各项经济指标,结合水利工程经济分析的相关规定,一般土石坝经济分析年限为 30～50 年,本次分析采用 50 年,经济受益率取 6%,如以 1990 年底为基准年,经计算传统坝结构共需各项费用 99.14 万元,大于潜坝各项费用支出,因此修建潜坝经济上比较优越。如考虑到可溢流泄洪,日常管理工作量少及花园口引水效益,则其经济可行性更高。

综上分析,潜坝结构不仅技术上可行,而且经济上合理。

9 马庄潜坝存在的问题及建议

马庄潜坝作为长管袋沉排潜坝技术的应用在黄河上尚属首次。由于没有成熟的经验和技术可以借鉴,加之黄河下游游荡性河床演变的复杂性,在工程设计、工程施工以及工程应用等环节处均存在一定的问题,主要表现在黄河上修筑新型坝体结构的复杂性和不可预见性。

9.1 工程设计

9.1.1 存在问题

(1)工程设计时,没有考虑坝体的沉降量。潜坝坝基尽管是在沉排上修筑,由于坝体自重作用、沉排排水以及工程靠河情况影响,造成坝体在运用时产生沉降。

(2)没有考虑工程管理需要。潜坝具有特殊的功能,规划上一般根据实际需要将其布置在控导工程下首,规划长度一般都在 300~1 000m 之间,甚至更长。尽管潜坝具有少出险、少抢险的特点,但不表明其完全不出险,尤其是长度较大的潜坝,一旦出险,运输抢险料物困难,不利于迅速解除险情。

(3)坝体边坡较陡。潜坝具有溢流行洪的重要功能,边坡陡,水流与坝体产生分离的现象,坝体表面易遭到破坏。

(4)坝体网护结构需要改进。坝体网护结构主要是满足溢流泄洪时坝体的安全稳定。坝体采用铅丝笼结构,受水流作用以及太阳暴晒等因素影响,铅丝易产生锈蚀,导致网护结构断裂,散石脱落,危及坝体安全。

9.1.2 改进建议

针对工程设计中存在的问题,首先应根据黄河的水沙条件、坝体自重以及沉排排水实际情况,设计坝顶高程时,需预留一定的沉降量;其次,考虑到抢险和管理方便,在潜坝背水面修建防汛石料台,并适当增加潜坝坝顶宽度,以满足抢险需要;再次,为满足坝顶溢流泄洪需要,坝体边坡可适当放缓或做成流线型;最后,将坝体表面铅丝笼护体全部进行联结或改用土工网护结构,使其形成一个整体,避免块石滑动或冲走,保持坝体完整。

9.2 工程施工

9.2.1 存在问题

(1)施工时机选择不够合理。马庄潜坝修建于 1990年 5 月 4 日~7 月 24 日,部分工程在汛期施工,施工区水深流急,给施工带来了很大困难,导致几次施工失败,增加了料物消耗和工程投资。

(2)施工组织不够严密科学。由于缺乏经验,施工过程中,在沉排铺放、充投管袋、修筑坝体时存在组织不得力,分工合作不够协调,施工进度缓慢等现象,人为延长了水下施工时间,加之黄河汛期含沙量较大,致使排布与长管袋之间、排体与坝体之间形成了不同厚度的淤土夹层,为运行中坝体稳定埋下了隐患。

(3)坝体施工使用石料尺寸偏小。施工过程中,时间紧,任务急,石料的组织比较困难,坝体施工采用的石料尺寸相对较小,这也是造成坝体出险的原因之一。

9.2.2 改进建议

修建潜坝时,建议要早做准备选择适宜的施工时机,如河道流量较小、流速较小、含沙量较小且地形变化不大的枯水季节。施工过程中,要进行严密科学的组织和分工,做到边铺排布,边充抛管袋,边修筑坝体,尽可能缩短这三道工序的施工时间,减少排体、坝体之间的落淤厚度。同时坝体施工时,一定要按设计要求选用石料。

9.3 工程运行

工程运行期间发现的主要问题是存在坝体下蛰和根石冲走现象。产生的主要原因是由于设计、施工以及河势变化等引起的。

黄科院在深入、系统地总结分析黄河丁坝冲刷和根石走失机理以及抢险经验的基础上,通过物理模型试验,1988 年提出了防止根石走失的网罩护根技术。目前下游应用网罩护根情况见表 9-1。

1991 年,郑州马渡险工 85 号坝前新建散抛石垛采用了网罩护根技术,经多年洪水考验,效果良好,工程未发生险情。1992年汛前,井圈险工63号坝进行了网护,经多年洪水考验,效果也较好。由于采用的是铅丝网,水上部分网片发生锈蚀,但水下部分情况良好。近两年,山东、河南两局用土工网代替铅丝网并进行了网护试验,效果良好,解决了铅丝锈蚀问题。

表9-1 　　　　　　黄河下游网罩护根情况统计

工程名称	修建年份	工程结构
马渡85号坝	1991	铅丝网罩护根
东阿井圈险工63号坝	1992	铅丝网罩护根
马渡险工22~39号坝	1999	土工网罩护根
齐河南坦险工95~99号坝	1999	土工网罩护根
东阿井圈险工53号、55号、55+1号坝	1999	土工网罩护根

前些年,我们曾专门进行过黄河控导工程连坝过水土工织物防护试验研究❶。在这项研究成果及"网罩护根"防止根石走失途径成果基础上,同时考虑到几乎所有的不同于传统工程结构的新结构在黄河上都难以奏效这一现实,我们提出的能适应大水漫顶需要的工程新结构见图3-7。该结构造价低,便于施工,与传统的工程结构结合得较为理想,因此具有很大的实用价值。

模型检验试验结果表明,由于坝体已被土工织物及网罩块石所防护,故漫顶后仍具有较好的控导效果。由

---

　　❶ 张红武等.土工织物防护控导工程连坝过水的试验研究.黄委会水利科学研究院,1993

图3-7可看出,水流作用后的工程附近冲坑距潜坝较远,冲刷深度较小。

至于连坝的结构,可以参照坝体部分确定。此外,为防止铅丝网遭受人为破坏,除加强管理外,坝体迎水面枯水位以上部分可压铺一层块石,坝顶及背河部分,表面可用土掩盖。

10 小浪底水库运用后长管袋沉排潜坝的应用前景

10.1 小浪底水库修建后黄河下游排洪河宽的确定

胡一三在《河道整治中的排洪河槽宽度》一文中就黄河下游河道排洪河宽的定义及确定方法给予了详尽的介绍[20],认为:"按照规划进行河道整治后,一处河道整治工程的末端,至上弯整治工程末端与下弯整治工程首端连线的距离,称为该处河道整治工程的排洪河宽 B_f,如图 10-1 所示。

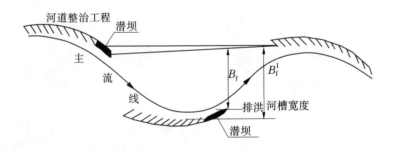

图 10-1 排洪河槽宽度示意

在排洪河宽范围内,除在大洪水时有足够的宣泄洪水能力外,中小洪水及一般流量时还应有一定的滞沙宽度,以免增加下游窄河段的淤积负担,同时该宽度还应满足洪水过后河势流路不发生大的变化,即防止大洪水时因 B_f 过小,弯道段出现水流反弯现象(指凸凹岸左右易位),以免打乱以下河段的流路。鉴于此,表10-1、表10-2、表10-3中我们统计了1957年以来所有大洪水黄河花园口、夹河滩、高村三站水力因子变化,从中可以看出,主槽平均过流量分别达到89.54%、97.96%、82.9%,平均河槽宽度只有9 171m、1 177m、808m,主槽平均单宽过流量为9.89m³/(s·m)、8.94 m³/(s·m)、10.3 m³/(s·m)。为进一步说明主槽过洪的主要特征,将主槽过流量与主槽流速点绘于图10-2❶,可以看出主槽流速随其过流量增加而增大,这在一定程度上似乎可以说明黄河下游河道主槽过流能力尚有潜力。

表10-4为有无小浪底水库时花园口断面洪水流量出现概率[21]。现有的防洪标准花园口站为22 000m³/s、夹河滩为21 500m³/s、高村站为20 000m³/s,洪水出现频率为60年一遇。由表10-4可以查出小浪底水库运用后,黄河下游百年一遇洪水花园口为15 000 m³/s、夹河滩为14 500m³/s、高村为12 300m³/s,相应的最小排洪河宽花园口为1 500m,夹河滩为1 300m,高村为1 200m。

---

❶ 王普庆等.游荡性河道排洪宽度的选定.见:'98全国水动力学研讨会文集,1998

表 10-1　　花园口断面漫滩洪水水力因子统计

测验时间(年·月·日·时)	全断面			主槽						滩地			
	流量 Q (m³/s)	水面宽 (m)	平均水深 (m)	流量 Q_p (m³/s)	水面宽 (m)	平均水深 (m)	平均流速 (m/s)	$\frac{\sqrt{B}}{H}$	Q_P/Q (%)	流量 Q_n (m³/s)	水面宽 (m)	平均水深 (m)	平均流速 (m/s)
1957.7.18.13	6 499	4 230	1.00	5 711	840	2.16	3.15	13.4	88.0	788	3 390	0.72	0.32
7.19.14	11 217	5 293	1.23	7 835	797	2.83	3.48	10.0	70.0	3 382	4 496	0.95	0.80
7.20.15	10 300	5 280	1.08	8 402	1 412	1.79	3.11	21.8	81.6	1 898	3 768	0.80	0.63
7.26.15	8 431	5 258	1.00	6 898	1 389	2.00	2.48	18.6	82.0	1 533	3 869	0.64	0.62
1958.7.17.7	11 500	5 350	1.20	10 316	1 125	3.09	2.97	11.0	89.7	1 184	4 226	0.70	0.40
7.18.10	17 200	3 510	2.14	16 016	1 367	3.8	3.08	9.7	93.1	1 184	2 143	1.08	0.50
7.19.15	14 900	1 370	3.59	14 480	921	5.07	3.1	6.0	97.2	420	449	0.55	1.68
1976.8.27.9	8 930	1 173	1.88	8 655	874	3.42	2.89	8.6	96.9	275	899	0.39	0.78
8.27.16	9 030	1 570	2.03	8 580	817	3.46	3.03	8.3	95.0	450	753	0.48	1.25
8.28.9	8 569	1 693	2.11	8 268	954	3.45	2.51	8.9	96.5	301	740	0.38	1.07
1977.8.7.16	5 875	821	2.53	5 792	421	4.07	3.38	5.4	98.6	83	400	0.92	0.23
8.8.13	10 830	2 539	1.51	9 116	467	5.51	3.54	3.9	84.17	1 714	2 072	0.61	1.35
8.8.16	9 692	1 143	2.47	9 539	483	5.31	3.72	4.1	98.4	153	660	0.40	0.58
1982.8.1.18	7 980	2 830	1.23	6 250	938	2.27	2.94	13.5	78.3	1 730	1 892	0.71	1.29
8.2.7	11 300	2 820	1.61	9 611	1 148	2.75	3.04	12.3	85.0	1 689	1 672	0.82	1.23
8.2.7	14 700	2 830	2.01	13 114	1 250	3.03	3.55	11.5	89.2	1 580	1 610	1.00	0.98
1996.8.5	7 680	3 300	1.30	6 960	630	3.36	3.28	7.47	91	720	2 670	0.81	0.33

表 10-2

夹河滩断面漫滩洪水水力因子统计

测验时间 (年·月·日·时)	全断面			主槽						滩地			
	流量 Q (m³/s)	水面宽 (m)	平均 水深 (m)	流量 Q_p (m³/s)	水面 宽 (m)	平均 水深 (m)	平均 流速 (m/s)	$\frac{\sqrt{B}}{H}$	Q_p/Q (%)	流量 Q_n (m³/s)	水面 宽 (m)	平均 水深 (m)	平均 流速 (m/s)
1957.7.20.8:40	12 900	2 159	2.5	12 878	1 843	2.0	3.49	21.5	99.8	22.36	315.7	0.088	0.8
7.21.9:14	9 290	1 230	2.44	9 170	898	3.12	3.27	9.6	98.7	119.5	331.6	0.84	0.43
7.28.8:30	6 190	1 160	1.98	6 115	820	2.55	2.91	11.2	98.8	74.8	339.9	0.6	0.37
1958.7.17.16:20	8 450	1 710	1.87	8 369	1 379	2.22	2.73	16.72	99	80.8	331	0.37	0.66
7.19.7:25	16 300	1 450	3.41	16 059	974	4.65	3.54	6.71	98.5	241.2	472.6	0.51	0.58
7.20.8:00	12 500	1 450	3.0	12 460	1 308	3.19	2.98	12.1	99.7	39.6	141.7	1.22	0.23
7.21	6 960	1 250	2.14	6 938	1 145	2.24	2.71	15.1	99.7	21.72	105.4	1.0	0.21
1982.8.3	13 630			12 200	1 050				89.5	1 430	1 100		

表10-3

高村断面漫滩洪水水力因子统计

测验时间 (年·月·日·时)	全断面			主槽						滩地			
	流量 Q (m³/s)	水面宽 (m)	平均水深 (m)	流量 Q_p (m³/s)	水面宽 (m)	平均水深 (m)	平均流速 (m/s)	$\frac{\sqrt{B}}{H}$	Q_p/Q (%)	流量 Q_n (m³/s)	水面宽 (m)	平均水深 (m)	平均流速 (m/s)
1957.7.20.17	11 700	5 240	2.23	8 716	988	3.63	2.43	8.60	74.5	2 984	4 252	1.91	0.37
7.21.15	9 110	5 220	1.56	8 120	1 075	3.08	2.45	10.60	89.1	990	4 145	1.16	0.20
7.22.15	6 690	4 320	1.31	5 750	982	2.40	2.44	13.00	85.9	940	3 338	0.98	0.28
1958.7.18.8	7 810	5 210	1.48	6 065	1 040	2.22	2.62	14.50	74.4	1 765	4 170	1.29	0.33
7.19.11	17 400	5 250	2.02	10 794	1 147	3.18	2.95	10.70	62.0	6 606	4 103	1.69	0.95
7.20.20	13 000	4 730	1.53	10 853	1 166	3.60	2.60	9.50	83.5	2 147	3 564	0.85	0.71
1976.8.30.7	7 990	2 210	1.51	7 720	792	3.43	2.84	8.20	98.0	266	1 420	0.43	0.43
8.30.16	8 260	2 230	1.54	7 990	806	3.50	2.83	8.11	96.7	266	1 420	0.42	0.43
1982.8.3.8	8 120	4 850	1.72	7 560	542	5.60	2.51	4.20	93.1	560	4 310	1.24	0.10
8.3.16	9 420	4 850	1.91	8 780	540	6.10	2.67	3.80	93.2	640	4 310	1.38	0.11
8.4.6	12 300	4 836	2.55	9 710	511	6.90	2.77	3.30	78.9	2 590	4 350	2.04	0.29
8.4.14	11 900	4 860	2.59	9 640	495	6.90	2.81	3.22	81.0	2 260	4 360	2.10	0.25
8.5.7	12 700	4 860	2.43	10 300	621	6.30	2.61	4.00	81.1	2 400	4 250	1.85	0.31
1996.8.10.0	6 800	4 880	2.0	4 710	608	3.39	2.35	7.27	69.2	2 100	4 272	1.83	0.269

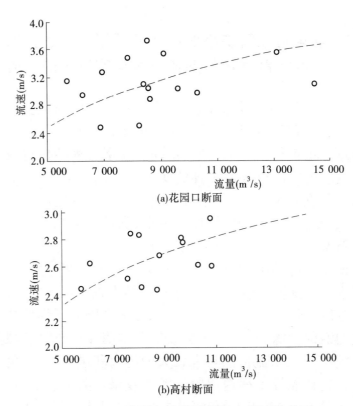

图 10-2　典型年洪水流量与主槽流速关系

表 10-4　　　　有无小浪底水库时花园口断面洪水出现概率

花园口洪峰 流量(m³/s)		30 000	25 000	22 000	20 000	15 000	10 000	8 000
各级流量 出现概率(%)	无	0.22	0.8	1.7	2.8	10.00	32.00	50.00
	有	0.01	0.026	0.16	0.96		6.20	14.00

10.2 潜坝可以解决小浪底水库运用后河道整治工程控制河势与河道排洪河宽不足的矛盾

经过多年的实践与探索,潜坝在黄河下游河道整治工程中已引起重视,比较适合黄河的水沙变化与河床演变特点。随着科学技术的发展,许多新型工程结构材料已广泛应用于河道整治工程的防护,长管袋、土工笼、沉排褥垫等在黄河上已不乏其用,黄河下游河道整治工程在防洪中起到了极大的作用。根据黄科院几年来对黄河下游新型工程结构——潜坝的多种裹护方式进行的防护效果试验表明:坝体在漫溢前有很好的控制河势作用,坝体漫水后冲刷坑大幅度后移,而且漫坝水越过坝顶以后,快速分散,坝后水流流速急剧减小,极大地限制了坝后冲刷坑的继续刷深和扩大,防护效果非常明显。同时潜坝对主河槽中的水流仍然具有较大的约束和送溜能力,仍然可以起到控导工程送溜段送溜的效果。潜坝过水后,坝上水深可达 2m 以上,和河道主槽一样过流,因此,我们认为对于黄河下游目前河道整治工程情况而言,计算排洪河宽时,应该计入或部分计入潜坝本身所占去的河道宽度,可不以工程末端作为计算排洪宽度的依据(图 10-1 中 B_f^1)。

据以上分析,游荡性河段河道在控导工程下首采用潜坝后,可以解决小浪底水库运用后,河道整治工程控制河势需缩窄河宽与汛期泄洪要求一定排洪河宽的矛盾。

11 结 论

  本书详细介绍了长管袋沉排潜坝的设计、施工技术；通过河工模型试验对长管袋沉排潜坝冲刷机理、冲刷坑发展过程、潜坝的稳定性等进行了深入的研究；并根据马庄潜坝工程原型观测结果,分析了潜坝在黄河下游河道整治工程中的应用效果和技术经济可行性,针对所存在的问题,提出了可行性建议。现总结如下。

  (1)长管袋沉排潜坝技术是黄河下游河道整治工程中首次提出的一种新型结构坝的设计技术。该技术不仅是理论与实践的结合,而且是在黄河河道整治工程多年实践经验积累基础上的新发展。工程的运用实践表明,它是一项满足河道中、小水整治需要的新技术,对黄河下游游荡性河道的中、小水治理有重要指导意义,具有极高的应用价值。

  (2)潜坝设计包括潜坝结构设计和长管袋沉排排体设计。设计流量一般采用当地平滩流量,但是平滩流量的选取人为性较大,本书通过造床流量与平滩流量计算法的分析,认为二者基本一致,建议采用造床流量作为潜坝设计流量较为合适,目前条件下选取 4 000 m^3/s 较为合适,坝顶高程即可取与当地 4 000 m^3/s 流量水位平;坝顶宽度 b 应大于等于 $b_{临}$;坝体边坡参考土坝设计与黄河多年坝工设计经验,上游边坡可取 1:2.0～1:2.5,下游边坡可取 1:1.5～1:2.0。

坝前局部冲深是排体设计很重要的参考依据,一般地可取 15m,冲刷坑的稳定坡度根据天然沙水下休止系数试验研究,其黄河床沙的水下休止系数可取 0.5,即可以 1:2.0 作为冲刷坑稳定坡降设计值;坝前沉排宽度可以式(2-14)作为设计依据,坝后沉排宽度可取 15m,同时应做排体的抗浮、抗滑及排体边缘抗掀动稳定性分析。

(3)河工模型试验结果表明,坝体受水流作用的方向不同,沉排的防护效果就不同。当水流夹角较小时,沉排能较好地保护坝基使坝体具有较强的抵抗水流冲刷变形的能力,能够阻止坝头冲刷向坝头根石坡脚方向破坏发展,从而保持了坝体的整体性和较好的稳定性。当水流与坝轴线成 90°时,潜坝上跨角部位及坝头前冲刷最强烈,特别是坝圆头前方,在冲坑冲深达到 13m 以上时,沉排褥垫下沉已波及到坝头基础,根基网石滑落走失较为严重,丁坝裹护体的稳定性受到影响。

(4)由冲刷地形图可以看出,冲坑最深点距离下跨角沉排边缘较近,因而在工程运用时特别要注意沉排边缘的保护。在模型试验中还发现,沉排褥垫在下沉过程中,当冲刷达到一定深度时,褥垫前沿有一定的浮起现象,这是由于冲刷水流在排体下不能及时排出,形成负压所致。为了使沉排更好地适应床面的变形,沉排边缘可以每隔一定距离系一个石坠。

(5)试验中给出的黄河沙水下休止角,土工布与黄河沙、布与布之间的摩擦角等已经在黄河下游实际工程中得到应用,效果较好,可直接应用于黄河潜坝及其他丁坝防护设计。

(6)马庄工程运行特点和作用机理分析表明:潜坝不仅弥补了传统柳石结构的主要缺陷,继承了传统坝体控导河势的优点,而且具备了高水溢流的新特性。无论其结构特点,还是发挥作用的过程,都不失为一种少出险、少抢险且便于管理的坝体结构;经实际运用取得了较好的导溜防冲效果。同时马庄潜坝的成功实践为今后黄河下游修建类似工程积累了十分宝贵的经验,为黄河下游利用新材料、新工艺修筑新型防洪坝开辟了一条新途径。

(7)潜坝具有护岸的重要作用。目前,黄河下游洪水还未得到有效控制,游荡性河段特性将长期维持,尤其是小浪底水库投入运用后,黄河下游河道长时间将维持中、小水态势,但仍有发生大洪水的可能。潜坝的修建可以达到稳定游荡性河段中小水流路、减少主溜摆幅、促使河型转化的目的,同时坝顶允许大洪水溢流,可以解决排洪河宽不足的影响,为黄河下游游荡性河道整治提供了新的手段。

(8)小浪底水库运用后,下泄水量将被调平,现有河道整治工程对小流量洪水控导效果不太理想,模型试验已经表明,适应小浪底水库运用后的水沙条件,工程下首均需不同程度地下延,而潜坝正是解决小流量洪水控导效果与大洪水行洪要求这一矛盾的重要工程措施;同时,排洪宽度问题也可相应得到解决。因此,小浪底水库运用以后潜坝在黄河下游河道整治中有着广阔的应用前景。

参 考 文 献

[1] 黄河水利委员会黄河志总编辑室编.黄河志第七卷.郑州:河南人民出版社,1998

[2] 陈效国,李丕武,谢向文等."八五"国家重点科技攻关项目,堤防工程新技术.郑州:黄河水利出版社,1998

[3] 马卡维也夫.造床流量.见:泥沙研究,第二卷,第二期.北京:水利出版社,1957

[4] 张红武等.江河力学研究.郑州:黄河水利出版社,1999

[5] 张红武,张清.黄河水流挟沙力的计算公式.人民黄河,1992(11)

[6] 成都科技大学编.水力学.北京:高等教育出版社,1979

[7] 武汉水利电力学院编.水力计算手册.北京:水利出版社,1980

[8] 阿格罗斯金著.水力学.清华大学、天津大学水利系译.北京:商务印书馆,1953

[9] 武汉水利电力学院主编.水工建筑物.北京:水利电力出版社,1984

[10] 丁君松,谢鉴衡等.河道整治.北京:中国工业出版社,1965

[11] 张红武,江恩惠,白咏梅等.黄河高含沙洪水模型的相似律.郑州:河南科学技术出版社,1994

[12] 武汉水利电力学院(谢鉴衡主编).河流泥沙工程学(上册).北京:水利出版社,1981

[13] 中华人民共和国国家标准(GB50290-98).土工合成材料应用技术规范.1999年1月1日实施

[14] 《平原航道整治》编写组.平原航道整治.北京:人民交通出版社,1977

［15］ 张善余.水面流速系数的理论分析与试验研究.安徽水利科技,1985

［16］ 武汉水利电力学院(谢鉴衡主编).河流模拟.北京:水利电力出版社,1990

［17］ 余文畴.国外丁坝研究综述.人民长江,1979(3)

［18］ 潘庆燊.抛石护岸工程的试验研究.泥沙研究,1981(1)

［19］ 孔祥柏,胡美英等.丁坝对水流影响的试验研究.水利水运科学研究,1983(2)

［20］ 胡一三.河道整治中的排洪河槽宽度.人民黄河,1998(3)

［21］ 石春先等.小浪底水利枢纽防洪效益分析.见:黄河小浪底水利枢纽文集.郑州:黄河水利出版社,1997